Cuando sientas que las puertas
se te cierran

⫷ Ensaya este libro ⫸

Con Dios
todo se puede

Por
Jim Rosemergy

Prólogo de
Gustavo Nieto Roa

CON DIOS TODO SE PUEDE
Libro original: Even Mystics Have
                Bills To Pay
                Jim Rosemergy
                U.S.A.

© 2000 Jim Rosemergy
Santa Fe de Bogotá, Colombia

Editado por
Centauro Prosperar S.C.A.
Calle 39 No. 28-20
Teléfonos (57-1) 368 4938 - 368 4932
www.prosperar.com
Santa Fe de Bogotá, Colombia

Primera edición 29 de abril/2000
ISBN: 958961449-3

Traducción: Gustavo Nieto Roa
Artes: Diana Sánchez
Coordinación: Marybel Arias García
Corrección: Hernán Mora M.
Fotomecánica: Panamericana Formas e Impresos S.A.
Impresión: Panamericana Formas e Impresos S.A.

Made in Colombia

Indice

Prólogo

❧ **C**omo el tema de este nuevo libro es nada menos que Dios, muchos pensarán que el editor de este libro, Gustavo Nieto Roa, se ha vuelto un hombre muy religioso que quiere convertir a Centauro Prosperar en una especie de congregación religiosa para competir con tantas iglesias nuevas que están proliferando por todas partes. Nada de ello. Lo que sucede es que cuando se llega a la realización de que hay un poder, una energía, un algo, que le da vida a todas las cosas, y que, como al igual que con los computadores, si sabemos conectarnos a la fuente, podemos obtener lo que queramos, cómo no prestarle atención a ello, y compartir la felicidad y los beneficios que de ello resulta con los lectores que han adquirido este libro. Y esto no tiene nada que ver con religión, simplemente es la vida.

La esencia del libro es que cuando se está consciente de la Presencia de Dios, todo lo que necesitamos en el mundo material se nos da por añadidura, y por ello, bástenos con prestarle atención a Dios, y dejemos de convertir las necesidades y los problemas que tenemos a diario en el foco de nuestra atención exclusiva, que todos estos serán en consecuencia resueltos debidamente.

No hay nada nuevo en lo que acabo de decir, pues lo hemos escuchado desde niños, ya que está escrito en todos los libros sagrados. Más sin embargo, la triste realidad es que no lo ponemos en práctica. Basta mirar a nuestro alrededor para ver que vivimos en un mundo que tiene más de infierno que de cielo, siendo precisamente el infierno la ausencia de Dios.

Una de las razones para que esto sea así, creo yo, es que nos cuesta mucho trabajo entender conceptos tales como, "estar conscientes de la Presencia de Dios" en nuestras vidas. Pensamos que estar conscientes de Dios es decir algunas oraciones o asistir a la iglesia los domingos. Pero no es así. Es más, mucho más, como lo he venido descubriendo. Desde mi época de estudiante en el colegio de los Jesuitas, cuando teníamos que asistir a misa obligatoriamente todos los días, sin entender claramente por qué, siempre me he preguntado cómo se hace realmente para que Dios responda las oraciones y nos libre de los males, tal como se le solicita en la oración del Padre Nuestro. Cuánta gente no he conocido que se queja de que va a la iglesia, reza, y visita centros de peregrinaje haciendo promesas, y los milagros que esperan no se dan. .

La respuesta me eludió durante muchos años, y ya crecido, me encontré en una ocasión con una mujer que me confesó que ella estaba terriblemente enamorada. Pasándome como el más ignorante en la materia, le pedí que me describiera en que consistía ese enamoramiento y me habló embelesada durante horas de lo maravilloso que era su novio. Ella no hacía otra cosa que pensar en él a todas horas, lo llamaba constantemente por teléfono para decirle que lo estaba pensando, y escribía su nombre en cuanto papel tuviera frente a ella. Cualquier deseo que su novio tuviera era una orden que ella cumplía solícita tratando de no contrariarlo absolutamente en nada. Los momentos que pasaba junto a él le parecían segundos, y cuando hacían el amor, sentía que se desvanecía en un abrazo de luz, que por instantes le permitía conocer el éxtasis en el que no hay tiempo ni espacio ni lugar, sino la total comunión con el enamorado. Indagué un poco más y le pregunté por qué ella se había enamorado de él, y me respondió que nunca había conocido un hombre igual. Siempre estaba pendiente de ella, y lo que más le atraía era que podía contar con él en cualquier momento. El siempre estaba dispuesto a resolverle el problema que tuviera. Y no sólo eso, sino que la sorprendía con hermosos regalos. Con él se sentía una mujer segura, amada, y con un propósito en la vida, hacer feliz a su enamorado.

A medida que iba escuchando a mi amiga, comencé a pensar que si nosotros los humanos podemos actuar así con otra persona, con mayor razón deberíamos hacerlo con Dios, ya que a él le debemos todo, y es él quien ha creado todo un universo para ponerlo a nuestra disposición. Le comenté esto a un amigo y me preguntó si era que me estaba volviendo loco, cómo podía comparar la relación de amor entre una pareja, con la relación entre el hombre y Dios, si éste es apenas un concepto intelectual, que no tiene forma. Riéndose y en tono burlón me dijo, ya me gustaría viéndote Gustavo, abrazando a una mujer, tu enamorada, y pensando que ella es Dios.

Esa fue la respuesta que necesitaba, la que me permitió entender cómo en mis limitaciones humanas, yo podía tener una relación con Dios, y para mi, esta debe ser una relación de amantes. Y es que Dios si tiene forma y cuerpo. Es la forma del universo con su sol y planetas y estrellas. La noche y el día. La tierra con sus océanos, sus ríos, sus montañas, sus selvas, sus desiertos, su fauna y su naturaleza. Y todo ello se compendia en el cuerpo del ser humano, mujer y hombre, creados a imagen y semejanza del Padre. Entonces si puedo ver y tocar a Dios. Si él no estuviera actuando, manifestándose en su propia creación, nada existiría.

Me parece ahora entender por qué Dios quiso que cuando el hombre y la mujer se enamoran, el universo entero deja de existir para ellos, pues solo tienen ojos para sí mismos, sus mentes se vuelven una sola, al igual que sus cuerpos, y es en el orgasmo que él les permite saborear lo que debe ser el cielo.

El tiempo que los amantes pasan pensando el uno en el otro, es lo que podemos llamar meditación. Cuando estuve en la India encontré que si algo tienen en común todos los distintos movimientos de perfección espiritual que existen en este país, es que todos promueven y enseñan la meditación, como lo más importante.. Es en este acto de concentración hacia el interior de uno mismo, cuando el ser amado se hace presente tal y como lo deseamos. El habita en nuestra mente, en nuestros sentidos, en nuestra imaginación. No tiene limitación de espacio ni tiempo ni lugar. Si podemos contactar en nuestra mente a nuestro ser amado, cómo no contactar a la misma presencia de Dios, siendo conscientes de su existencia, de que está en nosotros y en todas las cosas. No tenemos que pedirle nada, sólo disfrutar con tenerlo, que él ya lo sabe todo. . Y tal como dice Jim Rosemergy, el autor de este libro, cuando menos esperamos se nos puede aparecer una idea, que ha de ser la solución a nuestro problema. Meditación, como dijimos en el libro que publicáramos hace un tiempo, llamado "Papi, Mami, Qué es Dios", no es otra cosa que sentarnos a escuchar lo que nuestro amante quiere susurrarnos al oído.

Ahora comprendo lo que este libro, CON DIOS TODO SE PUEDE, quiere decir cuando se refiere a estar conscientes de la presencia de Dios en nuestras vidas. Es igual a la consciencia que se tiene del amado o la amada cuando se está enamorado. Dios siendo la misma vida de todas las cosas, se hace presente, particularmente en el hombre y en la mujer, para que cuando se estrechen el uno al otro en un abrazo de amor puedan decir: Dios mío, cómo te amo, y con ello no sólo están siendo conscientes de cada uno como amantes, sino en especial de Dios, que es la fuerza que los sostiene.

Hoy los invito a que nos enamoremos de Dios, a que lo veamos en todas las cosas que nos rodean, a que sintamos que su energía fluye a través del dinero que recibimos, a que cuando saboreamos una fruta exquisita, es él quien se nos brinda, que cuando vemos a un niño abandonado, o a un pordiosero, es él quien nos pide ayuda; que cuando un guerrillero o un delincuente se nos presenta con las armas en la mano, es él clamando justicia, y que cuando tengamos a nuestra amada o amado en nuestros brazos, es a Dios mismo al que tenemos. Y Dios, como el amante de quien esta enamorada mi amiga, estará solícito a proveernos de todo lo que necesitamos, y no sólo eso, sino que nos llenará de abundantes regalos. Esto es lo que entiendo con estar conscientes de la Presencia de Dios en nuestras vidas y que he querido compartir con ustedes.

Muchas gracias.

Gustavo Nieto Roa

Introducción

❦ Muchas generaciones crecieron creyendo que en la vida bastaba con dar lo máximo de sí mismos para triunfar. Esta actitud sirvió bien a muchas generaciones. "Trabaja duro y saldrás adelante", era el consejo. Los que lo pusieron en práctica vieron cómo el esfuerzo y la tenacidad hicieron prosperar a muchas familias. Hoy sin embargo, esto ya no es verdad. La población del mundo se ha multiplicado y la economía global ha traído muchos cambios. Muchas de las personas que alguna vez se consagraron al trabajo y gozaron de prosperidad, hoy están en la pobreza. Más y más niños viven hoy en día a un nivel de pobreza indigna con su condición humana. Industrias que sostuvieron varias generaciones están cerrando sus puertas en la actualidad.

Durante la mayor parte del siglo veinte, una persona trabajaba y satisfacía las necesidades de la familia entera. Hoy en día tanto el esposo como la esposa deben trabajar para asegurar un nivel básico de vida. En los años de elecciones, los políticos que buscaban la reelección o la continuidad, se las arreglaban para hacer aparecer que la economía del país era sólida y así asegurar el apoyo de los votantes. Pero es obvio que en estos años, por más que las estadísticas oficiales digan que la situación se encuentra bien, la gente sabe que cada día el dinero que reciben les alcanza para menos.

Hemos llegado a un punto en el que ya no basta con duplicar esfuerzos y procurar por todos los medios conocidos mejorar nuestra situación. Los métodos tradicionales ya no dan los resultados que necesitamos. Debemos explorar nuevas estrategias. Los que se autoproclaman como exitosos, apenas han rasguñado la superficie de una vida próspera. Debemos ir más allá, cavar más profundo, no en búsqueda de metales preciosos sino en busca de ese tesoro que todos llevamos dentro de nosotros mismos, y que de encontrarlo no nos va a decepcionar. Lo que buscamos no es una provisión eterna de pan, sino entender que "no sólo de pan vive el hombre" (Mateo 4:4). Este es el descubrimiento que han hecho los místicos a través de la existencia del hombre, que el alimento que nutre nuestras almas es el mismo que nos provee la solución a todas las necesidades físicas de nuestros cuerpos. El alimento que surge de la tierra solamente satisface las necesidades del cuerpo, pero los frutos del Espíritu son tanto para el alma como para el cuerpo.

Pensamos que los místicos que tenían en mente sólo a Dios se habían olvidado de las necesidades que todos tenemos en este mundo. Lo cierto es que ellos no renunciaron al mundo, pues viven en él y tienen que pagar sus cuentas como cualquier otro mortal. La diferencia está en que ellos fijaron su atención en Dios, y todas sus necesidades materiales se resolvieron.

Existen muchas razones por las que debemos admirar e imitar a los místicos. La razón principal es que encontraron el balance. Al buscar el reino de los cielos aquí en la tierra, aprendieron a ver el mundo en su perspectiva real. Al fijarse en Dios primero, pudieron ver al mundo como es, un reflejo del mundo interior de cada quien.

Los místicos están en este mundo, pero no pertenecen a él. Su seguridad y su sentido de identificación no se basa en cosas terrenales, aunque como todos nosotros viven en esta tierra y disfrutan de sus frutos. Ellos beben de la fuente del agua de la vida que Jesús le reveló a la mujer samaritana, y viven también de tomar el agua con la que todos los seres humanos calman su sed.

Encontrar a Dios es difícil. Los místicos se alejan de los ruidos del mundo tratando de encontrarlo a través de una nueva visión, de una revelación, de una perspectiva cierta. Posiblemente ninguno de nosotros esté dispuesto a hacer lo mismo, pero en el fondo tenemos la misma necesidad de encontrar al Creador y dejar que su Espíritu actúe dentro de nosotros y a través de nosotros. Tenemos que velar por nuestras familias y hacer todas esas cosas que nos hacen sentir útiles e importantes. A pesar de ello, creo que podemos encontrar el mismo balance que los místicos han encontrado. Tanto ellos como nosotros debemos actuar juntos para encontrar la perspectiva correcta, la visión del Infinito, ya que juntos tenemos que sobrevivir en este mundo, pagando las cuentas mes a mes.

Sobre nosotros recae el peso de todas las responsabilidades de este mundo. Pero también sentimos la necesidad de ir más allá. Respondamos sin tener que escapar de los ruidos de este mundo, de nuestras familias y de nuestras responsabilidades, sino manteniéndonos en medio de él, viendo todas estas cosas dentro de una perspectiva balanceada. Así, no estamos renunciando a este mundo, simplemente lo estamos viendo dentro de la correcta perspectiva.

Este es un gran reto. Vamos a actuar como si fuéramos místicos, entregándonos a Dios. Pero a la vez actuaremos como hombres y mujeres corrientes. Sólo nuestros valores y la forma como vemos el mundo y actuamos en él nos distinguirá de los demás. El tiempo nos dirá si estamos en lo correcto. Y lo estamos.

No tenemos que proclamarlo a los cuatro vientos. Simplemente vivir procurando profundizar nuestra relación con la Presencia de Dios. Diligentemente y con valentía vamos a poner a prueba los principios espirituales que nos prometen verdadera seguridad, prosperidad, y paz. Y luego si alguien nos pregunta cómo es que se nos dan todas las cosas que queremos, no será por lo que decimos, sino por lo que vivimos.

Mis queridos lectores. Una nueva vida nos espera, llena de seguridad y de prosperidad. El Espíritu nos enriquece, y todas nuestras necesidades serán provistas sin que las convirtamos en la razón de nuestra existencia. Dios está en el centro de nuestras vidas, y desde este centro atraemos un círculo perfecto que nos permite ver las cosas en su verdadera perspectiva. Dentro de este círculo todo es sagrado, y nos aparece una nueva visión que nos permite ver aún en medio del más crudo invierno… *"que los campos están esperando a que recojan sus frutos"* (Juan 4:35)

¡Tengo necesidades!

Capítulo I

✿ Cuando nuestro hijo Ben era joven y trataba de aprender la importancia de ahorrar, se quedó sin dinero al tiempo que encontró un juego de video que pensó que debería tener. Ben nos pidió a su madre y a mí el dinero para comprarlo. Al negárselo contestó: "¡pero tengo necesidades, tengo necesidades!"

Este es el clamor de todo ser humano. "Tengo necesidades". Y siempre nuestra atención se ha concentrado en satisfacerlas. En un tiempo el hombre sólo pensaba en cómo satisfacer sus necesidades de abrigo, comida y agua. Aún en muchas partes del mundo existen personas para quienes esto es lo más importante. Otros tienen necesidades de distinta índole que consideran igual de esenciales.

Las necesidades percibidas pueden no determinar nuestra supervivencia, pero afectan nuestra calidad de vida y la forma como nos vemos a nosotros mismos, exitosos o fracasados, así que dedicamos muchas horas para obtener los recursos necesarios para nuestra supervivencia física, y lograr el nivel de vida que nos provea autoestima y diversión.

Creemos que aseguramos nuestro futuro cuando seguimos el patrón impuesto en el mundo de conseguir un buen empleo que ofrezca toda clase de beneficios. Desde niños nos han enseñado que el éxito económico lo logramos si recibimos una buena educación y un entrenamiento especializado en alguna carrera profesional. Finalmente cuando tengamos el trabajo, y se nos pague debidamente, ya no hay por qué preocuparse.

Qué concepto tan trágico. Se parece más a una fábula que a la verdad. Muchos de nosotros estamos exhaustos y desilusionados porque hemos tratado de hacer realidad esa fábula. La realidad nos ha enseñado que no importa la posición que ocupemos y los ingresos que tengamos, siempre existe ese vacío que nos lleva a tratar de obtener lo que no tenemos.

Las necesidades no son el problema real

Todos tenemos necesidades. Sin embargo, estas no son el verdadero problema que nos mantiene despiertos. Cuando enfocamos nuestra atención en lo que no tenemos, experimentamos ansiedad y una sensación muy grande de malestar. Al principio hay esperanza, pero rápidamente se disipa tan pronto nos llaman a cobrarnos, o al recibir una cuenta de cobro inesperada, o al continuar desempleados. Concentrarse en el problema y tratar de buscarle solución es el método antiguo. El nuevo milenio ya llegó. Exige que dejemos nuestras necesidades a un lado. Una vida próspera no se puede iniciar concentrándonos en lo que nos falta. Se inicia cuando fijamos nuestra atención en el presente.

El gran regalo

Jesús estaba consciente del amoroso regalo concedido a la humanidad. *"...es el placer de tu Padre regalarte el reino" (Lucas* 12:32). Con ello se nos está ofreciendo algo, que no sabemos qué es, ni cómo aceptarlo. Con esa frase se nos está diciendo que nuestro Padre de infinita sabiduría, creó el universo y las leyes que lo rigen buscando nuestro bienestar y desarrollo.

Otras criaturas terrestres experimentan el placer del Padre. Años atrás viví en un clima con inviernos extremadamente fríos. Era común que la temperatura descendiera muchos grados bajo cero. Cerca de mi casa había un caballo pequeño que vivía al aire libre. A medida que se aproximaba el invierno, veía cómo su cuerpo se iba cubriendo de un grueso pelambre. Un día muy frío de noviembre, me quedé mirándolo viéndolo tan apacible, y en mi mente le pregunté dónde había conseguido su grueso abrigo invernal. ¿Acaso lo compró en uno de esos grandes almacenes que ofrecen de todo? ¿O fue un regalo de alguien? ¿O se lo encontraría al lado del camino? Son preguntas absurdas que el animal no me podía contestar, pero la respuesta que me surgió correspondía a una verdad muy simple. Venía de si mismo, de su interior.

En ese momento era obvio que esta criatura de Dios estaba protegida de los helados vientos del invierno. Era el deseo del Padre proveerlo de un abrigo, sin que el pony tuviera que hacer esfuerzo alguno. El no tuvo que esforzarse, angustiarse, luchar para conseguirlo. No tuvo que pasar horas y días enfocado en el problema de conseguir un abrigo para el invierno. Simplemente sabía que en el otoño le crecería su abundante pelambre que lo protegería del frío en el invierno, y que de nuevo en la primavera lo perdería.

Esta es una lección poderosa. Es consecuente con las palabras de Jesús que no son sólo verdad, sino también literatura sagrada. *"Y por eso te digo, no tengas ansiedad por tu vida, de lo que debes comer o lo que debes tomar, ni por tu cuerpo ni por lo que vas a usar. ¿No es acaso la vida algo más que saber que vamos a comer? ¿O el cuerpo algo más que la ropa? Mira las aves en el cielo; ellas ni siembran ni cosechan, ni se reúnen en graneros y aún así el padre celestial las alimenta. ¿No vales acaso más que ellas? ¿Y quien de ustedes por ortodoxo que sea puede añadir un minuto a su vida? ¿Y por qué estás ansioso por tus ropas? Considera las flores del campo, cómo crecen; ellas ni trabajan ni se esfuerzan y aún así te digo, Salomón en toda su gloria nunca lució tan bien como una de estas.... Pero busca primero el reino de Dios y todas estas cosas serán tuyas"* (Mateo 6:25-29, 33). Nuestro problema es que nosotros nos esforzamos y nos preocupamos en vez de buscar el reino, olvidándonos de que éste se nos ha sido ofrecido. Ese reino es más que la satisfacción de nuestras necesidades y sueños. Es lo que le da sentido a la vida.

La promesa

Jesús dijo que el reino es como una perla de gran valor *"...quién, al ver una perla de gran valor, no va y vende todo lo que tiene para poseerla"* (Mateo 13:46). ¿Qué podría ser tan valioso? La respuesta es: **Estar conscientes de Dios**. Su Espíritu es la fuente infinita, pero sólo podemos experimentarla cuando reconocemos la Presencia de Dios. La promesa del Padre es: Si buscamos el reino de Dios y nos hacemos conscientes de su Presencia, nuestras necesidades terrenales serán satisfechas, sin tener que desvelarnos por ellas.

Estimados lectores, hemos llegado al momento de aceptar el reto que esta promesa implica, y comprobar por nosotros mismos el principio de la búsqueda del reino. Es el momento de probar si nuestras necesidades terrenales pueden ser satisfechas sin que nos preocupemos por ellas. Otros han visto que esta promesa sí se cumple. ¿Se nos cumplirá a nosotros?

¿Han oído ustedes hablar de Eddie Rickenbaker, el piloto héroe de la primera guerra mundial? Durante la segunda guerra mundial, en el transcurso de una misión especial, él y su tripulación fueron derribados por el fuego enemigo. Flotaron a la deriva en el mar durante varios días con sólo cuatro naranjas para alimentarse. Tomaron turnos para leer una pequeña Biblia que uno de los tripulantes llevaba. Y en el octavo día leyeron estas palabras: *"Buscad primeramente el reino de Dios y lo que es correcto, y todo lo que necesités será vuestro"*(Mateo 6:33). Una hora después, una gaviota llegó hasta la cabeza de Rickenbaker, él la tomó y tuvieron alimento. Más tarde llovió, y tuvieron agua. Estuvieron conscientes de Dios y sus necesidades fueron satisfechas. La fe se hizo evidente en ellos, y ésta los sostuvo durante dos semanas más antes de ser rescatados.

Aún en las situaciones más extremas cuando el horizonte es borroso, Dios permanece como nuestro creador, proveedor y fuente de vida. Así mismo es sabio y amoroso. Si esto es cierto, el universo y nuestra propia naturaleza deben haber sido concebidos de tal forma que nuestras necesidades pudieran ser satisfechas. Nuestra existencia en el universo debe tener un propósito más importante que el de sólo nacer, satisfacer nuestras necesidades terrenales y morir. Estamos aquí como parte de un diseño grandioso.

En consecuencia es razonable asumir que nuestras necesidades terrenales serán satisfechas no en la medida que les prestemos atención, sino en cuanto la fijemos en el propósito para el que fuimos creados. De otra manera le estamos dando una importancia desmedida a los aspectos materiales, los cuales no deben convertirse en el centro de nuestras vidas. Nuestro propósito es reconocer a Dios como la fuente y estar conscientes de su Presencia.

La Biblia está llena de historias en que Dios, la fuente, satisface las necesidades de los individuos. Las Escrituras nos hablan de Elías, quien estaba solo en un campo desolado y de cómo los cuervos lo alimentaron (1 Reyes 17). Este evento es muy similar al de la historia de Eddie Rickenbaker y sus hombres. Tanto en la una como en la otra historia, una creación divina, un cuervo y una gaviota, ayudaron a satisfacer sus necesidades físicas.

Dios no satisface necesidades

La humanidad tiene muchas necesidades. Millones de personas mueren de hambre cada año. ¿Por qué Dios no los ayuda? Los individuos que no entienden la naturaleza del Espíritu y cómo se expresa el poder divino se alejan de El creyéndolo un Dios desalmado e indiferente. Esto es particularmente cierto cuando sus necesidades no son resueltas. Estas personas se preguntan por qué Dios no hace algo por ellas. Necesitan un trabajo, o sus hijos necesitan un techo y alimento. Una vez más escuchamos el grito del corazón humano: "¡Pero tengo necesidades!"

La verdad es que Dios no satisface necesidades. Dios es el amor mismo. Si Dios resolviera los problemas de cada cual, ya lo habría hecho, y todos los seres humanos estarían bien. Desde nuestro punto de vista, dejar que Dios se ocupe de nuestras necesidades es un buen plan. Pero aún hay uno mejor, que iremos aprendiendo a medida que vayamos leyendo este libro. Uno concebido por el Espíritu – uno que ofrece riquezas que ni siquiera podemos imaginar en este momento.

La puerta abierta

Tenemos necesidades. No existe duda al respecto. Naciones enteras tienen necesidades. Los continentes tienen necesidades. Desde el punto de vista humano, parece razonable que un Creador amoroso y compasivo satisfaga las necesidades de su creación. Esas necesidades sí se pueden satisfacer, pero no como creemos. Si Dios pudiera satisfacer una necesidad, así lo haría, pero no es así como funciona el universo. Dios no puede satisfacer necesidades; la Fuente no puede expresarse a través de una necesidad.

Notemos que tanto en la historia de Elías y los cuervos como en la de Rickenbaker y la gaviota, Dios no actuó en base al concepto de una carencia. El Espíritu actuó a través de la consciencia espiritual que se desarrolló en Elías y Eddie Rickenbaker a medida que dejaron de pensar en sus necesidades y concentraron su atención en Dios.

El Espíritu necesita una consciencia que esté enfocada en El, mas no en los problemas. Por ello, estos no deben ser el centro de atención. El concentrarnos en lo que no tenemos nos causa ansiedad y una sensación de malestar. Cuando dirigimos nuestra atención al Espíritu y permitimos que en nuestro interior florezca el reconocimiento de la Fuente, nuestras necesidades serán satisfechas, sin tener que estar pendientes de ellas. Encontramos así dos conceptos muy poderosos, pilares de este libro y de nuestras vidas. EL primero: Dios es la fuente de todo. El segundo, estar conscientes que Dios nos trae las provisiones que necesitamos.

¿Hay algún momento en que Dios no sea nuestra fuente? ¿Hay algún momento en el que el reconocimiento del Espíritu no nos provea? Mucha gente prospera aún en las épocas más difíciles. Ni la situación económica del medio ni la falta de recursos disponibles importan. Cuando la consciencia no se deja afectar por el ascenso o la caída de los indicadores económicos tanto personales como nacionales o globales, prosperamos. Sólo el reconocimiento de Dios garantiza prosperidad. ¿No es acaso por esto que las Escrituras se refieren a El como la perla de valor incalculable?

Ideas claves

1. Las necesidades son lo de menos.
2. Dios tiene un plan que da sentido a la vida y satisface nuestras necesidades terrenales.
3. La perla de valor incalculable es el reconocimiento de Dios.
4. Nuestras necesidades terrenales se satisfacen si en vez de concentrarnos en ellas, concentramos nuestra atención en Dios.
5. Dios no satisface necesidades.
6. Dios es nuestra fuente.
7. El estar conscientes de Dios es nuestra provisión.

Afirmación

Pongo a prueba la gran promesa, "...primero busca el reino..." (Mateo 6:33)

Conclusión

En vez de concentrar mi atención en mis necesidades me concentro en Dios.

¿Sabemos lo que queremos pedir?

Capítulo 2

Un sitio de arena

❊ Estás caminando por un campo de lilas hacia un pueblo distante al pie de una montaña. Dondequiera que mires ves pepitas de oro. Levantas tantas de ellas que caminar se convierte en una carga, pero insistes en seguir adelante. Con tu nuevo tesoro a cuestas entras al pueblo seguro de ser más rico de lo que jamás habías imaginado.

Has viajado kilómetros, estás hambriento y cansado, y necesitas de un lugar para reposar. Uno de los habitantes te indica la dirección de un hospedaje. Al entrar, te acercas al mostrador de recepción. Colocas una pequeña pepita de oro en el mostrador y pides una habitación. El recepcionista te mira y luego a la pepita y dice: "¡No estará pensando en pagar su habitación con esa piedra sin valor!".

Después de mucho discutir te das cuenta que el oro no tiene valor en este sitio. La arena es lo que vale aquí, y no la tienes. Además no es fácil encontrarla o adquirirla.

Para poder prosperar en este territorio debes cambiar tu concepción de lo que es valioso. Igual para poder vivir en el reino de Dios. Debes descubrir las riquezas del Espíritu. En este reino ni la arena, ni el oro, ni el dinero funcionan. Se requiere de otra moneda.

La otra moneda

Intuitivamente conocemos esta otra moneda. Aún la moneda de menor valor en los Estados Unidos de América tiene impresa una declaración referente a otra clase de vida: *"En Dios confiamos"*.

En el mundo en que vivimos podemos estar sin dinero y no tener formas de conseguirlo, pero nuestro sabio Dios ha creado un universo con riquezas para todos. Podemos estar a la deriva en el mar, desempleados, o en la penuria, pero la Fuente siempre está presente. De hecho, la llevamos con nosotros. Cuando no conocemos este tesoro es como llevar una valiosa perla entre el bolsillo y no saber para qué sirve.

Podemos decir que confiamos en Dios, pero se requiere más. Debemos reconocer su Presencia. Dios es la fuente, y al reconocerlo como tal ésta se manifiesta. Aquí yace la diferencia entre la provisión y su carencia.

Recordemos que Dios no actúa a través de las necesidades. La puerta que nos permite acceder a la provisión
divina es estar conscientes de la Presencia de Dios en
nuestras vidas y actuar en consecuencia.

En el mundo terrenal debemos saber cuál es la
provisión: dinero, oro, o arena, y entonces adquirirla. La
provisión terrenal es valiosa porque es difícil de obtener.
No todos tienen acceso a ella. Si todos la tuvieran no
sería valiosa. Por tal razón es bueno conservarla lo más
que podamos para tenerla disponible en cualquier momento. Este es el plan de la humanidad.

El plan divino

El plan divino es saber que la provisión resulta
de estar conscientes de Dios. Esta consciencia nos brinda seguridad y bienestar. La provisión divina, como el
estar conscientes de Dios, está disponible para todos. No
es difícil de conseguir. Es ilimitada y por lo tanto no se
tiene que almacenar para el futuro. Basta con estar conscientes de Dios como la Fuente y el pan diario es provisto.

El plan de Dios requiere el reconocer lo que verdaderamente tiene valor, y así se satisfacen las necesidades. El reconocimiento y la satisfacción son uno. Bajo este plan de Dios, sobra prestarle atención a la necesidad. Si lo hacemos nos llenamos de ansiedad y malestar. En cambio, un profundo reconocimiento de Dios nos garantiza seguridad y bienestar al tiempo que satisface nuestras necesidades terrestres. No debemos convertir los asuntos terrenales en el foco de atención de nuestras vidas. Fuimos creados para algo mucho más importante.

La provisión divina está disponible para todos. Las riquezas terrenales no. Algunos países tienen abundantes recursos naturales. Otros ninguno. Algunas personas nacen en la más absoluta pobreza y otras en medio de la realeza. No todos nacemos iguales, pero sí somos creados iguales, ya que todos poseemos el poder de estar conscientes de la presencia de Dios.

La economía terrestre nos dice que el dinero lo podemos sostener en nuestras manos y almacenarlo en bancos. La riqueza divina reposa a perpetuidad en nuestro interior como parte de nuestra naturaleza espiritual, y podemos acceder a ella a través de nuestra atención, expectativa y fe, en la medida en que nos hacemos conscientes de Dios y actuamos como tal.

La moneda del reino

La moneda del reino celestial es el reconocimiento de Dios, y no depende de nuestro nivel de educación o habilidades humanas. La gente experimentó seguridad y bienestar mucho antes de que existiera la primera escuela de aprendizaje. Por eso Jesús dijo: *"Tengo comida para comer que vosotros no sabéis"*. (Juan 4:32).

En un sentido terrenal, tanto los ricos como los pobres fallan al compartir la carne que les es ofrecida. Todos ellos se adhieren al mismo mito, a las mismas ideas erróneas sobre la provisión. Ven al dinero como la fuente, y por eso, ninguno se sienta a la mesa del banquete que está preparada para la humanidad.

El rico de Espíritu sabe que el dinero no es la provisión. Puede que posea vastas sumas de dinero, o muy poco. Sabe sin embargo que su seguridad y bienestar no depende de las circunstancias que hacen que la moneda se devalúe o se valorice. Algo más que el dinero se ubica bajo él como sostén de la verdadera prosperidad: su consciencia espiritual. Esta persona vive en el reino de Dios, y es rica.

El símbolo del reino

Hay una forma de saber si hemos entrado al reino de Dios y si hemos encontrado la muy valiosa perla. **Las preguntas cesan**. Thomas Merton, un monje y místico del siglo veinte, escribió: "Un hombre rico es el que no tiene necesidades". A cierto nivel esto es obvio. Por supuesto el rico no tiene necesidades, pues puede tener todo lo que necesita. Sin embargo, al examinar la vida de muchos de los ricos terrenales, se hace obvio que muchas de sus necesidades no han sido satisfechas. Por ejemplo en el siglo veinte, Howard Hughes fue uno de los hombres más ricos sobre el planeta, y aún así murió solo, enfermo y lleno de temor.

Thomas Merton nos dirige hacia la iluminación que surge cuando conscientemente nos hacemos uno con Dios. Nuestras preguntas cesan porque nuestras necesidades desaparecen. Tenemos a Dios. ¿Qué más podríamos necesitar? Esto, querido lector, es la riqueza verdadera. En un capítulo futuro, exploraremos el proceso de eliminar las necesidades.

Mientras estemos ocupados en nuestras necesidades y en cómo satisfacerlas, no podemos conocer a nuestro Creador. Cuando experimentamos nuestra unidad con el Espíritu, en ese momento las preguntas cesan.

Oferta = demanda

El mundo funciona bajo la premisa de oferta y demanda. En el reino de Dios, en la consciencia espiritual, el principio es que la oferta iguala la demanda. En esta fórmula, la oferta le corresponde a Dios y la demanda a los humanos. Pero le pedimos cómo pagar las cuentas, salud, y tantas otras cosas, y lo que conseguimos es más deudas y más dolor. Las Escrituras dicen: *"Pedid y se os dará; buscad, y encontraréis; llamad y se os abrirá"* (Mateo 7:7). ¿Es esta una promesa o una mentira?

Es la verdad. La oferta iguala a la demanda, pero nosotros *"...pedimos, pero pedimos mal..."* (Santiago 4:3. Hemos pedido cosas terrenales, para nuestros deleites, cuando deberíamos haber pedido lo que verdaderamente necesitamos, a Dios. Esta es una petición que el Espíritu siempre cumple. Y entonces se abre ante nosotros una nueva vida, donde las cuentas serán pagadas, donde nuestros cuerpos serán restaurados, pero especialmente donde tendremos una rebosante alegría, y una ilimitada felicidad que llega cuando por fin sabemos lo que debemos pedir.

Ideas claves

1. Estar conscientes de Dios resulta en provisión.
2. La provisión divina, el reconocimiento de Dios, está disponible para todos.
3. La provisión divina no necesita ser almacenada para uso futuro.
4. La provisión divina es infinita.
5. Consciencia de Dios y satisfacción de las necesidades es la misma cosa.
6. Estar conscientes de Dios nos garantiza seguridad y bienestar así como la satisfacción de nuestras necesidades.
7. Estar conscientes de Dios no depende de nuestra educación o de nuestras habilidades humanas.
8. El oferta iguala a la demanda.
9. Mientras nos concentremos en nuestras necesidades estamos desconociendo a nuestro Creador.
10. Una nueva vida se abre ante nosotros cuando estamos conscientes de Dios.

Afirmación

Pregunto por Dios.

Conclusión

La provisión es tener consciencia del Espíritu.

¿Cuál es tu centavo?

Capítulo 3

❦Cuando Antoinette Bourigan tenía dieciocho años de edad, quería dedicarse a Dios, pero el mundo la presionaba al contrario. Como era la costumbre en el siglo 17, su matrimonio fue arreglado, pero lo que ella ansiaba era ser la esposa de Cristo. A muy corta edad, le había dedicado su vida a Dios. Un día a las cuatro de la mañana, se vistió como una ermitaña, tomó un centavo para el pan de ese día y abandonó su hogar. Una tenue voz en su interior clamaba: "Dónde está tu fe, ¿en un centavo?". Esta frase la hizo pensar y lo soltó. Al arrojarlo, Antoinette iniciaba un camino no sólo de continuos viajes terrenales sino de acercamiento al reino de Dios. Cuando Antoinette tomó el centavo en su mano se dio cuenta que éste era un símbolo de su dependencia sobre las cosas terrenales y una barrera que impedía que La Fuente actuara. Así pues lo descartó. Le hubiera provisto de pan por un día, ¿pero y los días siguientes? Sólo confiando plenamente en la Fuente, sus necesidades serían abastecidas en los días siguientes y en toda su vida futura.

Recordemos que la voluntad y el gozo de Dios está en darnos su reino. Su reino está aquí, frente a nosotros, al alcance de la mano, pero preferimos confiar en otras cosas. Creemos que éstas contribuyen a nuestra seguridad, pero no es así. Así como no podemos servir a dos amos, no podemos estar dependientes de las cosas terrenales y al mismo tiempo del reino prometido, esperando que ambos sean nuestra fuente. Tenemos que escoger.

¿Cuál es tu centavo? ¿Qué cosas terrenales crees erróneamente que te dan seguridad? ¿Qué barreras has erigido entre las riquezas de tu consciencia espiritual y tú mismo? Hay muchas posibilidades.

Los centavos de la humanidad

Antoinette Bourigan tomó un centavo cuando quería abandonar su hogar e iniciar su viaje espiritual. Cuando iniciamos esa misma peregrinación llevamos con nosotros al menos tres centavos. Debemos deshacernos de cada uno de ellos.

En el siglo 19 había muchas teorías sobre el nacimiento del río Nilo en Egipto. Varios exploradores fallaron tratando de encontrar la fuente de su origen. Por fin, después de una larga y complicada exploración en 1875, John Hanning Speke descubrió no un hilo de agua en lo alto de una montaña, sino un abastecimiento ilimitado: el lago Victoria. Nosotros debemos realizar un descubrimiento parecido.

Cuando un explorador decide internarse en el corazón de Africa necesita muchas provisiones para la expedición. No son una carga, son el sustento del viajero. Nuestra expedición es diferente. Muchas de las provisiones que llevamos, aparentemente esenciales, son realmente cargas que debemos descartar, si queremos que las riquezas ilimitadas de la Fuente se manifiesten. Miremos dentro de nuestros bolsillos, y encontraremos no sólo una moneda de cobre sino una forma incorrecta de ver. El primer centavo que la humanidad debe descartar antes de disfrutar las riquezas que Dios nos promete es el juzgar por las apariencias. El segundo es pensar en las necesidades y el tercero es guardar resentimiento hacia nosotros mismos y hacia los demás. Nadie entra al reino de Dios, o encuentra seguridad y bienestar, cuando estas tres monedas suenan en sus bolsillos.

Juzgar por las apariencias

Un clásico error humano es juzgar por las apariencias. La falta de visión esconde la verdad de nosotros en muchas áreas de la experiencia humana. Esto es especialmente cierto cuando se trata de prosperidad. Creemos erróneamente que otra gente es nuestra fuente. Empieza en la niñez cuando son nuestros padres los que satisfacen nuestras necesidades. Es muy probable que muchos niños hayan visto que sus padres pelean por dinero y los hayan escuchado diciendo que la falta de recursos económicos es la causa de todos los problemas familiares. Este niño va a crecer pensando que el dinero trae la felicidad. Entre más dinero tiene una persona, más se atiborra de "cosas".

A medida que vamos creciendo y comenzamos a trabajar, nuestra apreciación cambia. Ya no son nuestros padres, sino la empresa que nos emplea, o el gobierno, o los clientes, quienes se convierten en la fuente y nos proveen del dinero que necesitamos. Al jubilarnos, la fuente es el seguro social, o un plan de pensiones, o las utilidades que nos dejan nuestras inversiones. Por supuesto, el dinero aparece de diversas formas. Puede estar representado en propiedades de finca raíz, en acciones, o metales preciosos. Lo importante es que tengamos suficiente de algo valioso para sentirnos tranquilos y seguros.

En los tiempos bíblicos había una práctica conocida como el Año del Jubileo. Este sucedía cada 50 años. La tierra era una posesión valiosa en esa época, pero durante el Año del Jubileo, algo memorable ocurría. La posesión de la tierra le era devuelta a su dueño anterior. Nadie podía poseer la tierra por más de 50 años. Con esto se le quería decir a la gente que la tierra le pertenecía a Dios.

¿Qué sucedería si cada 50 años tuviéramos que vaciar nuestras cuentas bancarias y regalar nuestros activos? De seguro descubriríamos el significado de dar y recibir. Nadie dedicaría toda su vida a amasar fortuna. Tendría otras prioridades. El dinero no sería tan valioso como lo es hoy en día. Descubriríamos que la verdadera riqueza está en tener a Dios presente. Y mientras así sea, tendríamos todo lo que necesitamos. Tendríamos seguridad.

Estimado lector, deshagámonos de ese centavo que nos simboliza que algo o alguien diferente a Dios es la fuente. A medida que lo hagamos, como Antoinette, podremos avanzar en nuestra búsqueda del reino. Tratemos de escuchar en medio del silencio aquella tenue voz que nos dice: ¿Dónde esta tu fe? ¿En un centavo? ¿En tu trabajo? ¿En tu plan de pensiones? ¿En el gobierno? ¿En una persona? ¿Seremos capaces de deshacernos de ese centavo?

Pensando en las necesidades

Cuando creemos que algo diferente de Dios es la solución, vamos albergando pensamientos de carencia y limitación. Dado que pensar en la carencia produce carencia, aún el tener algo es ya una pérdida. Es como Dios dice: *"...porque al que tiene, le será dado, y tendrá más; y al que no tiene, aun lo que tiene le será quitado"* (Mateo 25:29). La consciencia de pobreza sólo puede producir una cosa: pobreza. Una vez tuve un amigo que experimentó la privación y la carencia con gran regularidad. A menudo yo le decía que él se estaba fijando en el hueco de la rosquilla. Su vida estaba llena de bendiciones, pero durante los épocas más difíciles, su atención se concentraba en lo que le hacía falta, en lo que no tenía. Este era su centro de atención y en consecuencia sus problemas de carencia se multiplicaban. Si le llegaba una cuenta por ciento veinte dólares y a la vez alguien le regalaba 100 dólares, él no se sentía feliz ni daba gracias por el regalo. Sólo se fijaba en lo que no tenía, en los veinte dólares faltantes para cubrir la cuenta.

A través de la historia, aún desde antes de que existiera la escritura, el hombre ha creído en el mito legendario de que una vez existió un rey cuyos pensamientos más que sus actos gobernaban la tierra e influían a su gente. Cuando el rey estaba en un estado mental positivo, las cosechas florecían, predominaba la paz, el comercio con otros reinos se expandía, y la gente prosperaba. Cuando los pensamientos del rey eran negativos, una oscuridad se posaba sobre su reino, se iniciaban guerras, ocurrían desastres naturales y la comida se tornaba escasa. Durante estos oscuros periodos, se le daban al rey historias alegres y positivas para leer, y los bufones y magos de la corte trataban de alegrarlo y hacerlo reír. Por un tiempo lo lograban pero de nuevo llegaba la oscuridad.

Un día el rey fue a visitar un maestro sabio reverenciado por el pueblo. Le contó lo mucho que sus súbditos lo amaban y de cómo sus asesores trataban de que siempre estuviera de buen ánimo y disposición. Pero esto no duraba mayor cosa, pues terminaba al concluir la lectura de los libros que le daban o cuando sus bufones se cansaban de tantas payasadas. El sabio dijo que el rey era como cualquier otra persona, sujeto a la influencia que sus pensamientos tenían sobre sí mismo y sobre todo lo que le rodeaba. Y como él era el rey, esto afectaba a todo su reino.

"La solución", dijo el sabio, "no es el entretenimiento ni llenar la mente de pensamientos positivos. Es descubrir la fuente de vida que reside en su interior. Cuando la atención se fije en ella, esta se levantará y lo bendecirá a usted, a la tierra y a su gente".

No es fácil desprenderse del centavo que representa la atención que se le presta a la carencia. Y no podemos tan sólo pensar positivamente y esperar que todo va a salir bien. Los pensamientos por sí solos no son los escultores reales de nuestras vidas; son los patrones que abrigamos en nuestra mente y los que determinan nuestra manera de pensar los que van tejiendo nuestras consciencias. Estos son los que construyen la vida que experimentamos día a día. Podemos decidir que vamos a evitar todo pensamiento negativo y llenar nuestras mentes con pensamientos positivos. Podemos estar pendientes de nuestros pensamientos para pronunciar sólo palabras positivas. Pronto nos daremos cuenta de que nuestros pensamientos nos traicionan. No todos son positivos, a pesar de que sabemos la influencia que estos tienen sobre nuestra experiencia. Estar pendientes de nuestros pensamientos puede convertirse en una camisa de fuerza. EL pensamiento positivo es un buen comienzo y parte del ritual a medida que maduramos, pero hay una forma mucho más efectiva: debemos despertar la consciencia de Dios dentro de nosotros. Entonces estaremos a salvo.

La tradición mística habla de regar las plantas. Podemos llevar agua a las plantas de manera individual y esto hará florecer el jardín, pero requiere mucho trabajo. Otra forma es construyendo canales de irrigación y enviar el agua desde un arroyo cercano hasta nuestro jardín y este florecerá. De todos, el mejor sistema de irrigación es el que se produce cuando llueve. Así lo hizo Dios. Esto es lo que tenemos que crear dentro de nosotros mismos, esa lluvia que se da al estar conscientes de Dios, entonces irrigará toda nuestra vida como cuando cae una refrescante llovizna sobre la tierra seca. En los siguientes capítulos, nos referiremos a la construcción de este sistema de irrigación y a cómo invitar la lluvia. Cuando ésta llegue nos habremos deshecho de ese centavo del pensamiento negativo que nos niega una vida próspera.

Polvo en nuestros pies

Dios es nuestra fuente, y su reconocimiento es nuestra provisión. En su contra se yergue el resentimiento, como una muralla ante la prosperidad. Dios es amor, pero cuando nos llenamos de resentimiento e ira, no podemos sentir el amor que es nuestra naturaleza y que siempre nos envuelve. Cualquier cosa que nos separe de la consciencia de Dios, nos separa de nuestra provisión.

Y en la oración al Padre, Jesús dijo: *"y perdónanos nuestras deudas, como también nosotros perdonamos a nuestros deudores"* (Mateo 6:12). De acuerdo con estas palabras pareciera que Dios no nos perdona hasta que no perdonemos a los demás. La verdad es que Dios no perdona porque Dios es amor. Dios no puede albergar resentimiento. Sin embargo el versículo resalta una idea muy importante. Mientras no podamos perdonar no podemos experimentar el amor que es Dios. Es a través de la consciencia del amor, que somos cuidados y nuestras necesidades satisfechas.

Nuestro destino es ser uno con el Espíritu. Podemos querer experimentar esto y hacerle "ofrenda en el altar," pero una relación con Dios es imposible mientras no perdonemos. " *Por tanto, si traes tu ofrenda al altar, y allí te acuerdas de que tu hermano tiene algo contra ti, deja allí tu ofrenda, delante del altar, y anda, reconcíliate primero con tu hermano, y entonces ven y presenta tu ofrenda* (Mateo 5:23-24).

¿Caíste en cuenta en la amabilidad de Jesús? Fíjate cómo él dice: **y si te acuerdas de que tu hermano tiene algo contra ti...** cuando hubiera podido ser más directo y decir: "si tienes algo contra tu hermano".

El resentimiento no sólo nos separa del amor que es Dios, también se convierte en una tremenda barrera que nos impide disfrutar de excelentes relaciones de amor con los demás. No podremos trabajar con alegría y eficiencia si albergamos resentimientos contra otros. Jesús resaltó esta idea cuando dijo a sus discípulos: *"Mas en cualquier ciudad o aldea donde entréis, informaos quién en ella sea digno, y posad allí. Y al entrar en la casa saludadla. Y si la casa fuere digna, vuestra paz vendrá sobre ella; mas si no fuere digna, vuestra paz se volverá a vosotros. Y si alguno no os recibiere, ni oyere vuestras palabras, salid de aquella casa o ciudad, y sacudid el polvo de vuestros pies* (Mateo 10:11-14).

Estas palabras de Jesús son relevantes en muchas áreas de nuestras vidas, pero en ninguna más que en nuestra vida profesional. Los discípulos fueron llamados a una vida de servicio "profesional". Algunas personas serían receptivas a su mensaje, y otras no. Si los discípulos guardaban resentimiento contra los que los condenaban o enjuiciaban, estos sentimientos de rechazo y de resentimiento serían llevados al siguiente pueblo. Allí los discípulos no sólo no podrían experimentar la Presencia, sino que sus resentimientos de encuentros pasados sabotearían su labor. Las carreras profesionales de muchas personas se estancan porque sus relaciones con sus jefes o sus compañeros son mal llevadas. Debido a que no han podido desarrollar sus habilidades para comunicarse debidamente, no saben prestarle atención a los demás. Esto los limita y hace que su éxito en el mundo de los negocios sea casi imposible.

Este es un tema muy amplio que examinaremos en los capítulos siguientes, pero hagamos un pacto de estar dispuestos a descartar este centavo que se interpone entre nosotros y una vida próspera.

La carga es ligera

Las tres monedas, la de juzgar por las apariencias, el pensar en las carencias y el de guardar resentimientos, pueden ser descartadas. No pertenecen a nuestra vida natural. Antoinette dejó a un lado su centavo y recibió las riquezas de Dios. Nuestra carga es más pesada, pero al descartarla, recibiremos las riquezas que vienen al estar conscientes de Dios. Regocijémonos, si estamos de acuerdo, y alistémonos para partir en busca de la provisión divina.

Ideas claves

1 Juzgar por las apariencias es una barrera contra el reconocimiento de Dios.
2 Pensar en las carencias es una barrera contra el reconocimiento de Dios.
3 El resentimiento es una barrera contra el reconoci-

miento de Dios.

4 El dinero no es la fuente ni nuestra provisión.

5 La riqueza verdadera es el estar conscientes de el Espíritu.

6 El estar pendiente de lo que hace falta sólo produce más carencia.

7 El estar conscientes de la presencia de Dios sólo se puede dar en nuestro interior.

8 Todo lo que nos separa de estar conscientes de Dios nos separa de nuestra provisión.

Afirmación

Evito todo lo que se interponga entre estar consciente de Dios y yo mismo.

Conclusión

Estoy dispuesto a dejar a un lado el resentimiento, los pensamientos de carencia y el juzgar por las apariencias.

¿Esta dispuesto a prosperar?

Capítulo 4

❧ El deseo del Padre es darnos su reino, ¿pero estamos dispuestos a recibirlo? Nuestras palabras dicen que estamos listos a recibir todo lo que provenga de Dios, pero nuestras manos cerradas, nos traicionan.

A menudo, cuando hablo de prosperidad, inicio la charla sosteniendo un billete de 50 dólares en la mano, y pregunto: "¿Quién merece éstos 50 dólares?". Es sorprendente, pero sólo unas pocas personas levantan las manos. Invito a la primera que las levantó a que se acerque y tome el billete. Entonces pregunto: "¿Por qué no levantaron todos la mano? Cómo esperan recibir las maravillosas riquezas del reino celestial si ni siquiera creen que merecen 50 dólares?".

Recuerdo haber hecho lo mismo en una reunión de mercadeo directo. Los presentes querían prosperar y se veían a sí mismos millonarios. Sorprendentemente, al ofrecer el dinero, nadie levantó la mano. Después de esperar un momento, mi esposa, que me acompañaba, lo hizo y recibió el dinero.

Una mano cerrada

La verdad es que muchas veces no nos sentimos merecedores. Sentimos que no valemos, y por lo tanto, en forma sutil le decimos no a Dios y a la prosperidad. Muchas veces llevamos una sensación de culpabilidad y nos castigamos privándonos de lo que nos corresponde. Estimado lector, si existe un pecado, es rechazar a Dios. Esto es un pecado imperdonable porque el Espíritu no se nos impone, respeta nuestra voluntad. No hay nada que Dios pueda hacer hasta que nosotros digamos sí. El espera hasta que levantamos la mano.

En el Libro II de Reyes 4:1-7 hay una historia maravillosa de receptividad. Un hombre que solía trabajar para el profeta Elías murió, y uno de sus acreedores vino a llevarse al hijo del muerto como parte de pago. Elías llegó a la casa y le preguntó a la viuda qué tenía de valor. Ella le contestó: "Su servidora no tiene nada más en la casa que una jarra de aceite". Obviamente, ella consideraba el aceite un pago insuficiente por la deuda. El hombre de Dios vio algo diferente, la intención de dar. Esta visión celestial fue el comienzo de las riquezas para la viuda y sus hijos.

Elías le dijo a la mujer: *"Sal y pide prestados envases a todos tus vecinos, y vacía tú algunos, y que sean muchos*". La mujer así lo hizo y regresó con muchos contenedores. Recibió entonces instrucciones adicionales, como cerrar la puerta (queriendo significar el evitar los pensamientos negativos, y a personas iguales), y verter el aceite de su pequeño contenedor en los varios que le habían prestado. El aceite fluyó hasta que se acabaron los recipientes. El mensaje es claro. Recibimos según nuestra capacidad para aceptar lo que se nos da.

La historia concluye con Elías diciendo: *"Ve y vende el aceite, paga tus deudas, y con el resto, podrán vivir tú y tus hijos"*. Aparentemente este mandato se refería a que podían vivir por el resto de sus vidas de las ganancias que les dejaría la venta del aceite. Pero no era así. Ningún profeta de Dios consideraría el dinero que resultara de la venta del aceite como la provisión para el resto de sus vidas. El "resto" no se refería al dinero de las ganancias, sino a la consciencia de Dios que nació en ellos, al experimentar el milagro. Una persona recibe de acuerdo con su disposición para aceptar lo que se le ofrece. Esta verdad es más valiosa que los metales preciosos, el dinero o el aceite disponibles en un determinado momento.

Nuestra receptividad es determinante. El Espíritu no se impondrá. Pero es el deseo del Padre darnos el reino. El reino es estar conscientes de su presencia. Es nuestra provisión, pero no sabemos cómo recibirla. A menudo ni siquiera la exigimos. Estamos demasiado preocupados con asuntos terrenales. Fallamos al no comprender en qué se basa tanto la riqueza como la pobreza. Pedimos a gritos la provisión, pero nuestra mano está cerrada.

Otra mano cerrada

La humanidad cree que el ser rico es una bendición, pero le ha añadido a la riqueza un estigma. Siempre nos preguntamos si esta riqueza fue mal habida. Muchas personas minimizan sus valores para recibir lo que ellos creen que se merecen. Cuestionamos el uso que se le da a la riqueza. Para algunos, es poder. Para otros, es el camino a la felicidad y a la seguridad. Mansiones, y los habituales signos de opulencia, parecen inapropiados en un mundo plagado de hambre y pobreza. Es sorprendente que aunque para muchos de nosotros las riquezas son una bendición, para otros son una maldición.

¿Es la pobreza una virtud?

Los clérigos solían predicar que la pobreza era una virtud y la riqueza un pecado. Jesús parece reforzar esta creencia cuando dijo, *"es más fácil que un camello pase por el ojo de una aguja, que un rico entre al reino de Dios"* (Marcos 10:25). Curiosamente, a la vez que la iglesia promovía esta doctrina, se dedicaba a convertirse en una de las instituciones más pudientes sobre la tierra. La historia recuerda esta época como una en que la corrupción prevalecía en la iglesia y muchos de sus líderes se disputaban el poder con los mandatarios civiles de ese entonces.

La iglesia no condenaba ni el dinero ni las riquezas. Promovía la virtud de la pobreza y prometía la gloria, y una vida mejor después de la muerte. Exaltaba el sufrimiento terrenal como una manera de acercarse más a Jesucristo, ya que El había dado el ejemplo de sufrir por la humanidad al morir crucificado. Consecuentemente los reyes y la iglesia se aprovechaban de la voluntad de la gente para aceptar la pobreza y sus duras condiciones de vida.

Por la misma época, existían también místicos y estetas que apoyaban la virtud de la pobreza. Su dedicación al Espíritu exigía que se desprendieran de todas las cosas excepto de las absolutamente mínimas para sobrevivir. La pobreza parecía ser lo más virtuoso. Como sucede a menudo, fallamos al interpretar lo que nos querían decir con estos actos llenos de sabiduría. Al internarse en el desierto y alejarse del mundo, nos estaban diciendo que habían descubierto otras riquezas, estas sí las verdaderas, que los llenaban plenamente, tanto como para quedarse allá por el resto de sus vidas.

Este descubrimiento lo tenemos ahora frente a nosotros. ¿Es un pecado ser rico? En esta época contemporánea de inventos ultrasofisticados, algunos dicen que no es un pecado sino un milagro. Para entendernos correctamente habría que preguntar: ¿Qué es ser rico? ¿Es acaso tener dinero, metales preciosos, o tierras? ¿Es acaso tener lo que es escaso y es valorado por otros, como el petróleo? Los beduinos de la época de Abraham consideraban que la riqueza consistía en tener muchas esposas e hijos, y grandes rebaños de corderos.

Los místicos tenían otra visión. Para estos amigos de Dios, riqueza era un despertar a su Presencia. Es por eso que estar conscientes de Dios es provisión. Los que podían comprender esto, consideraban como pobres a los que dependían del oro y demás riquezas, para sentirse ricos y seguros.

Los místicos nunca aprobaron la pobreza que producía mala nutrición y privación. Ellos se consideraban ricos por su relación con Dios y veían como pobre a todo aquel que dependía de sus riquezas materiales. Esos buscadores de lo infinito sabían que la pobreza no era una virtud. La pobreza es más una falta de la presencia de Dios que una ausencia de riquezas. En la simpleza encontraron que se les facilitaba la relación con la presencia de Dios. Con su estilo de vida demostraron que lo importante no son las riquezas sino entregarse al Espíritu. Cuando la simpleza es la intención, esta está bendita. La cantidad de dinero que tengamos determina muy poco. Podemos vivir con sencillez o ser grandes poseedores de riqueza. El planeta necesita de estas dos clases de personas. Aquellos que viven con simplicidad nos enseñan que la felicidad está en nosotros y no en las circunstancias. El poseedor de grandes fortunas que vive consciente de Dios, ayuda a resolver las necesidades materiales de muchos y a descubrir lo que valemos.

Otro signo de riqueza

La pregunta es qué haremos con lo que tenemos. Esta es otra forma de determinar la riqueza. Imaginen a un individuo con una mente brillante. Él o ella pueden memorizar hechos y poseer grandes conocimientos. ¿Con todo esto podríamos decir que son sabios? ¿No es sabiduría la aplicación del conocimiento?

Cuando los recursos son usados únicamente para satisfacer nuestros caprichos, somos pobres, no importa cuánto dinero tengamos. Cuando somos una bendición para el mundo, somos ricos sin importar cuánto demos. Hace muchos años el "Reader's Digest" publicó una historia sobre Thomas Cannon, un cartero que vivía con un salario inferior a $ 17,000.oo dólares anuales, pero durante diez años donó más de $35,000.oo dólares a diferentes entidades de caridad. Así que organizó su vida para poder donar tanto como quería.

John Templeton es un multimillonario que administra billones de dólares. Sin embargo él es un hombre mucho más rico de lo que figura en los balances de sus empresas. El es hombre rico en espíritu. El señor Templeton entiende el valor de la espiritualidad. De hecho él ha concebido un premio que honra y premia financieramente a individuos que contribuyan al desenvolvimiento espiritual de la humanidad. El premio del señor Templeton tiene más valor que el premio Nobel de la Paz. Instituyó este premio porque él cree que lo espiritual tiene más valor que la paz, pues ésta fluye de lo primero. La verdadera riqueza no se define por lo que tenemos, sino por lo que hacemos con lo que tenemos. Tanto John Templeton como Thomas Cannon conocen las riquezas de Dios.

Por amor al dinero

Algunas personas citan erróneamente la Biblia al afirmar que el dinero es la raíz de todos los males, cuando en realidad lo que está escrito en ella es: "Porque el amor al dinero es la raíz de todo mal" (I de Timoteo 6:10). El dinero no es el culpable. Es como el poder del átomo. Puede ser una bendición o una maldición. Toma cualquier billete de dólar y sosténlo en tu mano, frente a tus ojos. Observa que sólo es un pedazo de papel. Por sí solo, el dinero no es nada, necesita del ser humano que le dé el valor que le corresponde y lo haga circular para que produzca un efecto.

Imagine lo que el dinero circulante puede comprar. Un centavo de dólar es muy poco lo que puede comprar hoy en día en la economía americana. Sin embargo, en otros países tiene un gran valor adquisitivo. Periódicamente recibimos literatura que dice que con unos pocos centavos de dólar se puede alimentar a un niño en otro país durante un mes.

Básicamente, el dinero es un medio de intercambio que ha hecho del sistema antiguo de trueque algo obsoleto. Gracias a Dios. Imaginen llevar con nosotros todos nuestros bienes de tienda en tienda e intercambiarlos por lo que necesitamos en ese momento. El dinero es algo que facilita todas las cosas, y tal como lo veremos más adelante, es el símbolo de la provisión infinita.

¿Cuál es el poder real detrás del dinero? El gobierno asegura su viabilidad. En el pasado nuestro sistema económico estaba respaldado por el oro. Teóricamente, un dólar puede ser cambiado por una cantidad específica de este precioso metal. Esto ya no es verdad, ahora es el gobierno el que garantiza su valor. Lo puede hacer? Si no fuera por la confianza que la gente deposita en el gobierno, el dinero no tendría ningún valor. ¿Cuántas veces no vemos países donde de un día para otro, la moneda pierde gran parte de su valor?

Durante la guerra civil de los Estados Unidos, los confederados imprimían dinero, pero se necesitaba de grandes cantidades de billetes para poder comprar la comida de una semana para la familia. La gente había perdido la confianza en el gobierno confederado y el dinero había quedado sin valor.

Lea lo que está impreso en las monedas o en los billetes de dólar de Estados Unidos. Dice: *"En Dios confiamos"*. Con esa inscripción se está reconociendo que Dios es nuestra fuente y el sostén no sólo del sistema monetario, sino también de nuestras vidas.

Muchos años atrás cuando apenas estaba comenzando a hablar en público y el tema de la charla era la prosperidad, le di a cada persona presente un billete de un dólar. En la audiencia había un hombre llamado Fred. Acababa de iniciar un programa de recuperación del alcoholismo. Fred tomó el dólar, lo leyó, y lo guardó en su billetera. En los años que siguieron Fred prosperó de muchas maneras. No puedo imaginar cuántas veces debió sacar el dólar de su billetera para leer la inscripción. "En Dios confiamos". Quizá la leyó en momentos de muchas dificultades, y al hacerlo le renacía la confianza para seguir adelante. Tal vez a medida que prosperaba sacaba el billete y leía la inscripción como una manera de reconocer a Dios como su fuente y darle gracias. Podemos hacer lo mismo.

Saquemos de nuestra mente la idea de que las riquezas terrenales son malas y de que la pobreza es una bendición. Instintivamente sabemos que nada de eso es verdad. Mientras veamos las cosas así, nos estamos colocando una barrera que nos impide prosperar. Si creemos que para ser ricos debemos depender del dinero o de los bienes de la tierra, tendremos una vida llena de angustia y pobreza. Debemos estar conscientes de que Dios es el dispensador de la riqueza y que si confiamos en El, como el proveedor, nada nos ha de faltar.

Ideas claves

1. Es el deseo del Padre darnos su reino.
2. Pobreza es pensar que las riquezas terrenales nos dan bienestar y seguridad.
3. Riqueza es estar conscientes de Dios, y actuar como tal.
4. Somos pobres cuando no tenemos una relación con Dios.
5. Recibimos de acuerdo a nuestra capacidad para recibir.
6. La riqueza se mide no por lo que tenemos, sino por lo que hacemos con lo que tenemos.
7. El dinero es el símbolo de la provisión infinita.

Afirmación

Quiero ser rico en Espíritu.

Conclusión

Me dispongo a recibir lo que el Padre desea darme, el reino de Dios.

En busca de la Tranquilidad financiera

Capítulo 5

Solo los ricos entran al cielo

❧ Se ha dicho que es más difícil que un rico entre al reino de Dios que un camello pase por el ojo de una aguja, pero la verdad es que sólo los ricos entran al reino. Esta declaración no contradice la sabiduría de Jesús. Sólo aclara la definición de lo que es ser rico.

Las personas habitualmente describen la riqueza en términos de dinero. En lo que pocos están de acuerdo es en la cantidad de dinero que se requiere para ser considerado rico. Hace muchos años me vino a ver un hombre que dijo haber perdido toda su fortuna y solamente le quedaban veinte mil dólares en el banco. Escuché atentamente, porque en ese tiempo mi familia sólo tenía trescientos dólares en nuestra cuenta. El tenía veinte mil dólares y estaba desolado. Nosotros teníamos trescientos y estábamos seguros. Las encuestas dicen que una persona es rica cuando tiene un ingreso anual de más de doscientos cincuenta mil dólares. Para considerarse ricos algunas personas necesitan tener diez o cien veces más dinero que otras.

Vivir sin necesidades

En el segundo capítulo de este libro vimos que un "místico" mide la riqueza de otra forma. "Un hombre rico no tiene necesidades", declaró Thomas Merton.

Cuando nos tranquilizamos y asumimos una posición relajada que nos permita concentrar nuestra atención en la Presencia de Dios, entramos en un estado de consciencia de paz donde no hay necesidades. Sentimos que lo tenemos todo. ¿Cómo puede ser? Tenemos a Dios y El nos tiene a nosotros. Los dos somos uno. Las preguntas cesan, porque la satisfacción y la plenitud habitan en nuestras almas. El deseo de pedirle a Dios que nos provea de algo indica que no hemos entrado en ese estado de consciencia y que aún permanecemos fuera de su radio de acción.

Este es un gran reto para el ser humano, porque lo usual es que las necesidades dominen el día. Estamos pendientes de lo que no tenemos y sí deseamos. Nuestro cuerpo requiere comida, bebida, abrigo y un techo. Anhelamos la compañía de otro ser. Necesitamos una razón para vivir, un propósito para nuestra existencia, una misión. Estos deseos son naturales, *"vuestro Padre sabe que tenéis necesidad de estas cosas"* (Lucas 12:30).

En consecuencia, la sabiduría divina nos dice: *"...buscad primeramente el reino de Dios y actuad de acuerdo, y todas estas cosas os serán dadas"* (Mateo 6:33). No tenemos que convertir las cosas en la razón para vivir. Somos seres espirituales destinados a darle expresión a lo divino dentro de nosotros. Todo lo que necesitamos lo vierte Dios desde nuestro interior a nuestras vidas y a las de los demás. Esta búsqueda requiere de nuestra atención permanente a pesar de las inmensas distracciones que se nos imponen en nuestra vida diaria. Pero hay una forma balanceada de hacerlo: *"dad a César (el mundo) lo que es de César, y a Dios lo que es de Dios"* (Lucas 20:25). Cuando entramos en un estado de consciencia de Dios, las necesidades desaparecen.

No desearé

David, el niño pastor de la Biblia, que se convirtió en rey, descubrió esta verdad a medida que saturaba su mente con las palabras que luego se convertirían en el Salmo 23. El primer versículo nos describe ese estado de plenitud. *"El Señor es mi pastor, nada me faltará"* ¿Cuando estamos conscientes de Dios, haciéndonos uno con El, qué más **podemos** desear? Lo tenemos todo. No hay nada que pedir.

Esta consciencia es la fuente de las riquezas verdaderas y del pleno bienestar. Es más que un sentimiento de seguridad que nos da tranquilidad por un momento. Se nos hace evidente satisfacción y realización plena. Y lo más sorprendente es que, como todo estado de consciencia, se nos manifiesta en la vida material y en todas nuestras experiencias. A través de éste estado todas nuestras necesidades terrenales se nos satisfacen.

Los campos están listos para ser cosechados

Juan 4:35 nos recuerda a Jesús enseñando este principio espiritual a sus discípulos. Puedo imaginar a Jesús hablándole a sus discípulos en medio del invierno cuando los campos estaban desnudos. Debieron sorprenderse cuando Jesús levantó su mano para sentir el viento frío que levantaba remolinos de polvo sobre las praderas desoladas cuando se dirigió a ellos: *"Levanten los ojos y miren los campos, porque ya están listos para ser cosechados"*. Qué confundidos debieron quedar. El hablaba de cosechar cuando los campos aún estaban vacíos. Qué locura es esa, pudieron pensar. Mas no, El veía y conocía, lo que otros aún tenían que descubrir.

Aun la vida más vacía tiene dentro de sí el potencial para una gran cosecha, pero las semillas que se deben sembrar dentro de ella no son del mundo material. No son ni siquiera las semillas consistentes en tener pensamientos y expectativas positivas. La cosecha no llega pidiendo lo que nos hace falta, sino experimentando un estado de consciencia plena. Es esta la que nos produce abundancia aún en medio del más desolado invierno.

Un tesoro en el cielo

Un estado consciente de plenitud con sentimientos de realización, es lo que necesitamos. Puede llegarnos en cualquier momento, como una bendición. No es algo que podamos forzar porque sí. Es algo que tenemos que trabajar. Primero debemos preparar el terreno de nuestra alma para depositar en ella las semillas cuyos frutos nos darán seguridad. En un principio estas serán difíciles de cultivar, pero entre más nos concentremos, con más facilidad fructificarán.

Es lo que nos pide Jesús cuando nos aconseja que tengamos un tesoro en el cielo, *"donde ni la polilla ni el orín corrompen, y donde los ladrones no entran ni hurtan"* (Mateo 6:20). Esta consciencia de plenitud, de provisión, que es ajena a las variantes del mundo terrenal, se nos manifestará aún en las situaciones más críticas.

El primer paso es purificar nuestras motivaciones. Quien aspire a lograr ese estado de plenitud, debe estar consciente de Dios a todas horas, pues sabe que la provisión es El. Dios es la fuente, pero no puede expresarse hasta que no estemos conscientes de su Presencia. Lo contradictorio es saber que estamos en el cielo, cuando ya no lo necesitamos, precisamente por estar en él, como le sucedió a David, el niño pastor.

Reconocer a Dios como nuestra fuente y experimentar un estado de plenitud, es el comienzo para tener un tesoro en el cielo. De la misma manera funciona el agradecimiento. *"Entrad por sus puertas con acción de gracias, por sus atrios con alabanza"* (Salmos 100:4). En la antigüedad, el concepto que se tenía de Dios era como si fuera una ciudad amurallada, siendo su Espíritu benigno el que guardaba sus puertas. Cómo entrar entonces a esa ciudad, era una inquietud tan válida entonces como ahora. Los que quisieron llegar hasta Dios encontraron que una forma de traspasar la muralla era a través del agradecimiento y de la alabanza.

El agradecimiento

Existen muchas maneras de dar las gracias. Cuando alguien nos da algo o nos trata con amabilidad le decimos, gracias. Esto es mera cortesía, la forma más simple de agradecer. El agradecimiento también puede ser un acto de fe. Agradecemos por algo que no ha ocurrido o está por ocurrir. Jesús hizo esto en la tumba de Lázaro al pedirle que saliera. *"Padre, gracias te doy por haberme oído"* (Juan 11:41).

La tercera forma de agradecer es sintiendo la maravilla que es la vida. En este caso, el agradecimiento y la alabanza son expresiones naturales del alma. No estamos dando gracias porque hemos recibido (cortesía) o porque esperamos recibir (acto de fe), sino porque reconocemos con nuestra actitud nuestra verdadera naturaleza.

El agradecimiento se hace evidente cuando Pablo y Silas estaban en la prisión. La historia la encontramos en Hechos 16:25-26. Era la medianoche y Pablo y Silas oraban cantando y agradeciendo a Dios. Súbitamente la prisión fue sacudida por un terremoto, las puertas se abrieron y las cadenas que ataban a los presos se soltaron, y Pablo y Silas quedaron libres de espíritu y el estado de sus almas se hizo manifiesta. Charles Fillmore, cofundador del movimiento "Unity", dice de este suceso: "Las fuerzas espirituales actúan a través de los pensamientos agradecidos". El agradecimiento, cuando es una expresión natural de nuestras almas, es un reflejo excelente de ese tipo de pensamientos. Las fuerzas espirituales actúan a través de estos pensamientos elevados y producen resultados tangibles.

Regocijasen en esto queridos lectores, e inicien ya el camino hacia la plenitud. Este es el estado de consciencia que nos lleva al reino y todo estará bien. Permanezcan atentos a no pedir por lo que no tienen. Esto es algo difícil de vencer, pues toda la vida han estado mendigando aquello que les gustaría tener, y esto, como ya lo han experimentado, sólo les lleva a la limitación y a la carencia. Dejemos que los deseos de nuestro corazón sean de Dios. Cuando lo buscamos, lo encontramos. Cuando golpeamos en esta puerta, esta se abre.

Si se deben decir palabras, alaben y sean agradecidos. Únanse a Pablo y a Silas en su celda de la prisión, pues de las ataduras puede venir una libertad mayor de la que se pueda soñar. Construyan tesoros en el cielo. Canten, den gracias, y alaben a Dios, y entonces esperen a que les llegue el estado de plenitud, de abundancia. Ahora les puede parecer vacío, pero es el manantial de todo lo bueno.

Cuando un ser humano que ha sido criado en la carencia se fija en este estado de plenitud, ve un desierto. Se pregunta, ¿cómo podría esto satisfacer mis necesidades? Cuando un místico ve la misma escena, se regocija porque ve un jardín repleto de flores. Aún en el invierno los campos están listos para ser cosechados. No hay más desolación. La abundancia y la plenitud rigen esta tierra.

Ideas claves

1. Solo los ricos entran al reino de Dios.
2. Cuando conocemos a Dios cesan las necesidades.
3. Cuando nos hacemos conscientes de ser uno con Dios, nada tenemos que pedir.
4. El estado de plenitud, de no carencia, se manifiesta como lo más natural de la vida. A través de él se satisfacen nuestras necesidades.
5. El agradecimiento nos prepara para el reino celestial.
6. "Las fuerzas espirituales actúan a través de pensamientos agradecidos". El agradecimiento y la alabanza son expresiones de pensamientos acordes.

Afirmación

El Señor es mi pastor, nada me faltará.

Conclusión

Soy rico cuando no tengo necesidades.

Demostración de prosperidad

Capítulo 6

El cofre

❧ Una leyenda nos cuenta la historia de un mendigo que vino a pedir pan a la casa de un hombre rico. No solamente le dieron comida sino un pequeño cofre de madera. El hombre rico le dijo que en ese cofre estaba todo lo que podría necesitar por el resto de su vida, pues contenía las riquezas del universo.

Aunque el mendigo era el dueño del cofre, no podía abrirlo. Un día, hambriento y disgustado con su vida, se propuso que no volvería a depender de otros para subsistir. Tan pronto pensó esto, el pequeño cofre se abrió y en su interior encontró pan, agua y una moneda de oro. De ahí en adelante, el mendigo buscaba en el cofre las provisiones que necesitaba para el día. Y así fue por toda una semana. Al octavo día el arcón no quiso abrirse.

Con el paso del tiempo, el mendigo comenzó a ver a Dios como su fuente de provisión, y el cofre le proporcionaba todo lo que necesitaba. Así sucedió durante siete años, al cabo de los cuales el cofre no se volvió a abrir. Aunque el hombre tenía curiosidad por conocer los demás tesoros que contenía el cofre, estos ya no le importaban, pues había descubierto su fuente.

Una tarde encontró a una familia que lloraba frente a su casa hecha cenizas. El mendigo, ahora un hombre rico en espíritu, quiso ayudarlos, y al pensar esto, la caja se abrió de nuevo. En su interior había un mensaje con estas palabras: "Entrega el cofre a esta familia, ya que lo que pensaste que contenía en su interior, ya lo tienes dentro de ti. Diles que con su contenido, pueden reconstruir no sólo su casa sino también sus vidas".

Erróneamente creemos que la prosperidad se evidencia cuando recibimos. Esto no es cierto. **La prosperidad se demuestra es dando**. Nuestro Creador, en su infinita sabiduría, ha establecido que dar es una parte vital de la expresión de la vida. Al inhalar recibimos oxígeno, pero es igual de importante exhalarlo. El granjero siempre espera una gran cosecha pero primero debe sembrar las semillas.

Sembrar es un acto de fe. La fe del granero en el fruto de la semilla se evidencia al sembrarla. Y la fe depositada en la naturaleza, produce las cosechas. Los frutos de la vid y el grano son la manifestación de la naturaleza que le da al granjero y al mundo.

Dar no depende de lo que tenemos. Estudios de nuestra sociedad revelan que los más ricos son los menos generosos. Sólo dan una pequeña parte de lo que reciben. Son las personas de medianos ingresos los que más comparten.

Dar depende de qué tanto entendamos nuestra naturaleza espiritual. Hubo una vez un predicador rural que habló un miércoles en la tarde, en una pequeña iglesia. En esta ocasión el hombre había llevado consigo a su hijo de diez años. A la salida de la iglesia había una caja para recibir las ofrendas de la gente. Al entrar, el predicador había depositado en ella un billete de diez dólares. Al concluir el servicio, el líder de la comunidad le dijo al predicador que su pago estaba en la caja. Al abrirla encontró solamente un billete de diez dólares. Su hijo le susurró al oído: "Si hubieras depositado más, habrías recibido más".

¿Es dar, perder?

Aunque el dar es esencial para la vida, este acto es sumamente difícil. La razón es que juzgamos por las apariencias. Creemos que al dar incurrimos en una pérdida, puesto que lo que damos ya no lo tenemos. Para la mente humana, nada es más cierto, pero nuestro Creador, en su infinita sabiduría, dispuso algo muy distinto.

Cuando damos, es una bendición para el que recibe, pero la bendición mayor es para el dador. El que recibe tiene algo tangible que señalar: el regalo. El que dio obtiene una consciencia más amplia de cómo trabaja el universo de Dios, quien es el proveedor de todas las cosas que necesitamos.

¿Han visto en alguna Navidad a un niño dándole un regalo a alguien que ama? El pequeño se sitúa frente a la persona, observándola mientras lo destapa. Los ojos del pequeño brillan. Su generosidad se traduce en una consciencia de Dios y su universo, y el niño se llena de gozo. No siente que haya perdido nada. El alma del pequeño está llena. Institivamente experimenta la esencia de lo que dice el segundo libro de Corintios. 9:7 *"...Dios ama al que da con alegría"*.

El acto de dar

El entendimiento espiritual nos pide que dejemos a un lado nuestra necesidad de determinar cómo debemos recibir lo que consideramos son las bendiciones de la vida. En su lugar, nos pide que investiguemos cómo debemos dar, porque dando es como se demuestra la prosperidad.

Existe un proceso por el que todo ser humano debe pasar cuando quiere aprender a dar. A medida que vamos dando, culminamos un paso que a la vez nos lleva al siguiente. Ninguno de estos pasos debe ser condenado, ni siquiera el primero. Este parece que no nos llevara a ninguna parte, pues consiste en no dar.

Nos quedamos en este primer paso debido a la importancia que le damos a las apariencias, al miedo del mañana, a la falta de entendimiento de cómo funciona el universo. Todo ello nos impide dar. Nos aferramos incluso a lo que no tiene valor para nosotros. El miedo y la inseguridad oprimen el alma.

No damos ni recibimos las riquezas del Espíritu. Tenemos suficientes razones justificadas para no dar, especialmente que sentimos que no tenemos nada que dar. O que la gente a quienes deberíamos dar no lo merece. Nos parece que malgasta el dinero que recibe, y no va a malgastar el mío. Siempre tendremos una excusa, pero la razón principal es el miedo.

Dejamos de dar, pero dentro de nosotros algo nos dice que dar es la llave para recibir, así que pasamos al segundo paso. Comenzamos a dar, pero muy poco, y motivados por nuestros sentimientos de culpa. En la iglesia, somos los que menos limosna entregamos. El temor y la inseguridad prevalecen en nuestras vidas. Pensamos que nos gustaría dar más, pero cómo si apenas nos alcanza lo que tenemos, imposible. Daríamos más si tuviéramos de sobra. Si nos ganáramos la lotería, no dudaríamos en convertirnos en los redentores de toda la comunidad.

Los que piensan así, están llenos de temor. Hay otro factor, y tiene que ver con valores. Por ejemplo, esta gente no duda un sábado por la noche en divertirse en forma, salir a cenar a un buen restaurante, ir a ver un espectáculo. La cuenta será alta, pero sienten que se lo merecen. Habrán pasado una noche memorable, pero lo más seguro es que la hayan olvidado a los pocos días. El domingo siguiente, asisten a la iglesia. Aquí comparten principios que pueden aplicar a sus vidas, o un testimonio los conmueve. Pero al momento de dar la ofrenda, apenas sí ofrecen unos centavos.

Esto no tiene nada que ver con su verdadera situación económica. Es una cuestión de valores. El salir una noche a divertirse tiene más valor que los principios y las experiencias espirituales que comparten en la iglesia. Realmente esta gente no necesita dar más, sino examinar a fondo su sentido de valores.

En Marcos 12:41-44 encontramos una historia de alguien que examina su sentido de valores: *"Estando Jesús sentado delante del arca de la ofrenda, mira-*

ba cómo el pueblo echaba dinero en el arca; y muchos ricos echaban mucho. Y vino una viuda pobre, y echó dos blancas, o sea un cuadrante. Entonces llamando a sus discípulos, les dijo: De cierto os digo que esta viuda pobre echó más que todos los que han echado en el arca; porque todos han echado de lo que les sobra; pero ésta, de su pobreza echó todo lo que tenía, todo su sustento".

Me hubiera gustado haber conocido a esta mujer, saber las circunstancias en que vivía antes de que ofrendara, y luego lo que le debió suceder con el paso del tiempo, pues ella, como el mismo Jesús lo dijo, había echado todo lo que tenía, todo su sustento.

Debió de ser una mujer que valoraba su vida espiritual por encima de todo lo demás. Con toda seguridad ella entró al reino de Dios y encontró la seguridad terrenal que trasciende cualquier circunstancia humana.

El tercer paso en este proceso de aprender a dar es cuando se da porque creemos que es una obligación. Tal vez alguien nos haga caer en la cuenta de ello y entonces damos, pero como es una obligación, lo hacemos sin gusto, sin alegría.

El verdadero gozo de dar se siente cuando lo hacemos libremente. Al hacerlo nos sentimos plenos. Hace algunos años, cuando mi familia estaba de vacaciones, fuimos de visita a un gran almacén y en su departamento de deportes, vi a un joven de unos once años comprando un balón de fútbol. Lo debía estar haciendo con sus ahorros, pues estaba lleno de billetes arrugados y de monedas. El dependiente los contaba minuciosamente, y encontró que le hacían falta unos centavos. Vi en la cara del joven su decepción. Tal vez el precio había subido en los últimos días, o se le había olvidado que había que pagar impuestos.

Metí la mano en el bolsillo y saqué un dinero que tenía y se lo di al cajero. Me quedaba un cambio y preferí que se lo dieran al joven. El muchacho me miró, me dijo "gracias", y salió corriendo feliz con su balón. Sentí que me había encontrado con un ángel. Le había dado unos pocos pesos, pero la emoción que me embargó me dejó temblando. La emoción de darle me conmovió intensamente, y me sirvió de lección, que no olvidaré jamás. Siempre me pregunto qué habrá sido de la vida de ese muchacho. Fue acaso en ese momento el encuentro de dos personas, o fue un regalo de Dios. Cuando damos por obligación no temblamos de felicidad.

El cuarto paso del proceso es dar para recibir. Esto puede estar basado en el concepto de que el dinero es poder o se puede utilizar para ejercer control. Damos para conseguir un favor. Es obvio que lo hacemos porque nos sentimos incapaces de lograr lo que queremos de otra manera.

Para otra gente, dar está basado en un principio espiritual, *"Más bienaventurado es dar que recibir"* (Hechos 20:35). Se fijan en los que cultivan la tierra que dicen: "Así como sembramos, así cosechamos". Aquí comienza el dar, pero hay que tener en cuenta algo. Algunos maestros pueden enseñar que Dios quiere que prosperemos y tengamos lo que deseamos. Yo digo que Dios ya nos ha dado todo lo que necesitamos, solamente tenemos que estar conscientes de ello.

Dar no es la primera demostración de prosperidad. Es sólo una demostración. El dar nos permite estar conscientes de la Presencia de Dios. No es la manera de conseguir cosas o de tener todos nuestros deseos terrenales satisfechos.

Cuando damos para recibir, parece que prosperáramos por un tiempo. Hasta nos podemos volver adictos a este tipo de vida. Establecemos un objetivo, y se nos cumple. Analizamos nuestras vidas y nos damos cuenta de que algo nos falta, y ya tenemos otro objetivo. La tragedia de esto es que nos convertimos en un ser espiritual que está dedicado a cosechar cosas. El objetivo que deberíamos estar persiguiendo se nos olvida, que es una mayor consciencia de Dios. Cuando damos para recibir, recibimos muy poco. Alguna gente descubre que después de un tiempo, ya no recibe más. Cuando esto sucede o nos sentimos vacíos, caemos en la cuenta de que hay que seguir avanzando.

Finalmente encontramos la respuesta. **Damos porque está en nuestra naturaleza.** Nada es más natural que dar. Los niños se pelean por sus juguetes, pero cuando comparten se sienten muy felices. Dando es que nos sentimos vivos, que expresamos lo que verdaderamente somos. Tomar, guardar, acumular, o dar para recibir, es sentirnos menos que vivos y de lo que deberíamos ser.

Finalmente damos porque lo sentimos dentro de nosotros. Es nuestra naturaleza. Cuando otros nos dan la oportunidad de dar, nos están bendiciendo. Es una oportunidad para expresar nuestra verdadera naturaleza. No la desaprovechemos.

Dios primero

Asumamos que tiene la posibilidad de recibir una gran suma de dinero. Se le dice que debe hacer una lista de cinco cosas que haría cuando reciba el dinero, y que de acuerdo a su lista se determinará si recibe o no el dinero. Tiene cuarenta días para pensar qué va a hacer. (Lo primero que debe hacer con ese dinero debe ser lo mismo si fueran 10 o un millón de dólares).

Tal vez lo primero que debe hacer con el dinero es lo que ve escrito sobre una pared en la calle: "Si ama a Jesús, diezma". Diezmar es la primera demostración de prosperidad. Sin embargo, la humanidad tiene un concepto muy limitado sobre esta acción. La mayoría de la gente cree que consiste en dar un diez por ciento de sus ingresos a la iglesia, o a una institución espiritual. En el Viejo Testamento existen numerosas referencias sobre el diezmo, sobre las que nos referiremos más adelante. Cuando el diezmo se instituyó no existía la iglesia como tal. De hecho el sistema financiero se basaba en el trueque, no en dinero.

La confusión sobre el diezmo crece cuando la gente no encuentra pasajes donde Jesús se hubiera referido específicamente a él. En los evangelios sólo existen dos referencias al diezmo, y en ambas oportunidades Jesús se está dirigiendo a los líderes religiosos que diezman, pero que han olvidado la razón de ésta práctica espiritual.

Jesús sí enseñó a diezmar. De hecho era uno de los pilares de sus enseñanzas, aunque no lo hizo como se le conoce hoy en día, que es dar diez por ciento de los ingresos a la iglesia.

Desde el punto de vista místico, diezmar es estar consciente de Dios primero. Cuando algo maravilloso pasa en nuestras vidas, el primer pensamiento debe ser "Gracias, Dios". Con ello ya estamos diezmando, pues reconocemos nuestra fuente y colocamos a Dios primero. Cuando algo especial nos sucede y nuestro primer pensamiento va dirigido a Dios, preguntándole "¿Qué debo hacer aquí?", estamos diezmando. Existen numerosas formas de tener en cuenta a Dios primero que todo. Cuando lo más importante del día es el momento que le dedicamos a la oración, estamos diezmando. De la misma manera, podemos colocar en primer lugar a Dios en nuestros asuntos financieros.

A medida que indagamos más sobre el diezmo, recordemos que ante todo es una actitud de tener presente a Dios primero. Cuando ponemos esto en práctica, nuestra vida se transforma positivamente. Esta es la razón, la gente que practica el diezmo prospera. No es por el dinero que da, sino porque está consciente de Dios primero. Podemos darnos cuenta dónde tenemos a Dios en nuestras vidas al examinar lo que hacemos con el tiempo y con el dinero.

Cuando tenemos a Dios presente en primer lugar, le dedicamos tiempo a saber más de El, y buscamos la manera de servirle ayudando a que los demás también compartan este conocimiento en bien de la humanidad. Rezamos, meditamos, estudiamos la Verdad. Dedicarle el 10 por ciento de nuestro tiempo a Dios, nuestro creador y proveedor, es apenas justo.

Es también justo que contribuyamos con el diez por ciento de nuestros ingresos a las entidades que esparcen el conocimiento espiritual en el planeta. Dios es nuestra fuente. Todo lo que tenemos proviene de El. Cuando estamos conscientes de esto, Dios es lo primero, y por lo tanto actuamos acorde con esta verdad espiritual. Una cosa es saberlo intelectualmente, y otra es hacer que nuestras vidas se conformen según este principio, según nos lo pide el Espíritu: *"La fe por sí sola, si no está acompañada de obras, está muerta"* (Santiago 2:17).

Es obvio que el diez por ciento pueda parecerle justo, pero si nunca ha diezmado en el pasado, le puede parecer algo exorbitante. Si esto es así, comience con un uno por ciento de sus ingresos, antes o después de los impuestos. Lo importante es comenzar. Luego cada mes, aumente su aporte hasta que llegue al 10 por ciento. A medida que vaya aumentando su donación, puede llegar a descorazonarse diciendo, "no puedo más, es demasiado. Esto me va a arruinar". Este es el obstáculo más grande que debe afrontar.

Piense en lo que significa esta actitud. Lo que está diciendo es: "No puedo colocar a Dios en primer lugar. Si lo hago me va a traer la ruina financiera". Qué triste que eso le pueda suceder, pues quien coloca a Dios en primer lugar, siempre tiene éxito.

Sólo cosas buenas resultan si colocamos a Dios en primer lugar. Cada persona que da diezmos debe vencer obstáculos. Y estos, a medida que los venzamos, pueden convertirse en puentes que nos acercan más a una vida próspera.

El primer diezmo

Abraham fue el primero en dar ejemplo de diezmar. Su historia la encontramos en el capítulo 14 del Génesis. Abraham rescató a su familiar, Lot, a quien tenían prisionero. De regreso a casa Melquisedec, el sacerdote, bendijo a Abram: *"Bendito sea Abraham del Dios Altísimo, creador de los cielos y de la tierra"*. Abraham respondió dándole a Melquisedec el diez por ciento de todo lo que tenía.

Este evento nos dice a quién le debemos de dar el diezmo: a quien nos sirve de medio para que recibamos el conocimiento y la bendición espiritual. Puede ser una persona, una institución, o la iglesia. Existen muchas posibilidades. Es muy importante que nos demos cuenta a través de quiénes nos llega el conocimiento y la bendición espiritual. Dios es la fuente, y sus bendiciones se manifiestan a través de canales infinitos. Cuando damos el diezmo a los que nos sirven de canal, creamos una sinergia que bendice a otros y contribuye a que se conozca cómo es que Dios actúa sobre este planeta.

El reto de dios

En Malaquías 3:10 leemos: Dios retó a la humanidad: *"Traigan todos los diezmos a mis bodegas, para que haya alimento en mi casa; y entonces pueden probarme, dice el Dios de los ejércitos, si es que no abro las ventanas de los cielos, y derramo sobre todos bendiciones hasta que sobren en abundancia".* Así se expresó porque en ese entonces la gente se había olvidado de darle a Dios la importancia que merece.

En los tiempos antiguos, la gente no diezmaba con dinero. Lo hacían ofreciendo los frutos de su trabajo, la buena semilla que tenían destinada a sus campos, y los tiernos corderos que eran sacrificados. Esto nos parece primitivo, pero así era. Pero la gente a quienes iban dirigidas las palabras de Malaquías, se habían olvidado de Dios, pues los corderos que sacrificaban eran los enfermos y deformes. Las semillas que le ofrecían eran de pésima calidad que no iban a dar abundantes frutos. Lo que estaban haciendo, era que ellos se colocaban en primer lugar, en vez de reconocerle esta posición a Dios. En apariencias daban diezmos, pero en realidad lo que tenían era miedo del mañana.

Lo que nos dice este pasaje de Malaquías es que hay un principio que funciona, consistente en que las acciones no son tan importantes como las actitudes. Coloquemos a Dios primero, no para recibir sus bendiciones, sino porque nuestras vidas se originan en Dios, y cada día se renuevan por el Espíritu de Dios. Hoy no sacrificamos corderos, pero tenemos a nuestra disposición tiempo, actitudes y dinero para dar. Dios se merece que le demos más de lo que nos sobra cuando ya hemos satisfecho todas nuestras necesidades terrenales. Amados lectores, coloquen a Dios en primer lugar, no para que reciban sus bendiciones, sino para ser una bendición a toda hora.

Ideas claves

1. La prosperidad se demuestra dando.
2. El dar no depende de lo que tengamos. El dar depende de cómo entendemos nuestra naturaleza espiritual y nuestros valores.
3. El dar nos permite estar conscientes de la Presencia de Dios.
4. El que da logra entender cómo funciona la dinámica divina en el universo y en qué consiste la consciencia que satisface todas las necesidades.
5. El proceso de aprender a dar:
   · No damos.
   · Damos al sentirnos culpables.

· Damos por un sentido de obligación.
· Damos para recibir.
· Damos porque es nuestra naturaleza.
6. El diezmo es colocar a Dios en primer lugar.
7. Diezmar es una forma de vida que demuestra la prosperidad.

Afirmación

Doy, porque es mi naturaleza dar.

Conclusión

Dar es una demostración de prosperidad.

Se nos da lo que pedimos

Capítulo 7

❧ La dimensión espiritual es misteriosa y desconocida para la mayoría de la humanidad. Sentimos su poder, pero sólo unas pocas personas dedicadas a Dios han logrado entrar en el reino y permitir que su poder se haga manifiesto a través de milagros y otras maravillas. Estos individuos que han logrado la santidad nos piden que sigamos su ejemplo, pero a cambio de humildad, quietud y entrega, lo que parece imposible que hagamos en medio del mundo en que vivimos. Sin embargo el poder de la Presencia divina se ha hecho evidente.

Quisiéramos que se nos diera lo que los hebreos experimentaron cuando andaban errantes. No tenían alimento, y en el mañana encontraban maná sobre el piso. Cuando deseaban carne, ahí estaban los animales que debían sacrificar. Sabemos que Dios es nuestro proveedor cuando nuestra consciencia es una con El. Pero lo que más nos gustaría es que todo lo que deseamos se haga manifiesto. Que por la mañana encontráramos maná sobre el piso, y durante el día contáramos con el resto de las provisiones, sólo con mirar al cielo.

Hacer realidad lo que deseamos es nuestra preocupación, pero no podemos convertir esto en el centro de nuestra atención, *"pues no se puede servir a Dios y a las riquezas"* (Mateo 6:24). Sí, las riquezas se nos hacen realidad cuando nuestras vidas giran alrededor de Dios, no cuando estamos pendientes de ellas. Las bendiciones de Dios nos llegan en forma material cuando lo llevamos a El en nuestro corazón y en nuestra mente.

Buscamos el reino de Dios, y para llegar a El es bueno conocer el camino que se inicia con una consciencia de su Presencia, y termina manifestándose en la dimensión material de nuestras vidas. Quienes necesitan en un comienzo que Dios se manifieste con un nuevo trabajo, o con una suma de dinero urgente, son los que muestran interés en aprender los principios de la prosperidad. A la hora de la verdad, lo que menos les interesa es Dios, lo que quieren es satisfacer sus necesidades, obtener prosperidad. Aquí la premisa es que si conocen los principios de la prosperidad y actúan de acuerdo con ellos, serán bendecidos con lo que desean. Este es el camino que muchos de nosotros hemos recorrido, y es válido, pero es quedarnos muy cortos. Nos quedamos a mitad del camino, con nuestra atención puesta en los resultados, y no en Dios.

Del reino a la vida práctica

La Presencia de Dios se experimenta en el silencio, pues El no es un pensamiento, ni un sentimiento, ni una imagen. Cuando entramos a su reino, nuestras facultades humanas de pensar, sentir, imaginar quedan dormidas. Recordemos el mandato: *"No tendrás dioses ajenos delante de mí. No te harás imagen..."* (Exodos 20:3-4). Un pensamiento, un sentimiento, o una imagen pueden ser como estatuas de piedra a las que le damos el carácter de dioses. El silencio es la ausencia de todo ello en nuestra mente. Lo más maravilloso de esta dimensión divina es que al acogernos al silencio, emerge la actividad que nutre nuestras vidas diarias.

Primero, tenemos el silencio, un estado de consciencia sin pensamiento, sentimiento, o imagen. (El libro, Caminando de cerca con Dios, de Jim Rosemergy, amplía este concepto). Luego, este silencio divino comienza a manifestarse en el campo real. Es cuando el pensamiento, el sentimiento, la imagen, las ideas, pueden aparecer en nuestras mentes.

El Espíritu divino hace su parte, y nosotros la nuestra. Estar conscientes de Dios como fuente se manifiesta como un sentimiento de bienestar y seguridad. Al llegar a este punto, nada ha cambiado en el mundo que nos rodea, pero el cambio se está dando dentro de nosotros. Lo que necesitamos está en camino, comienza a manifestarse. Cuando esto comienza a darse, lo más importante es mantener nuestra atención en Dios. En el momento en que nuestra atención cambie y se fije en lo que se está dando, el proceso se estanca.

Hay muchos regalos que se nos pueden dar dentro de ese lugar secreto que son nuestras almas. Una vez hemos adquirido un sentimiento de bienestar y seguridad en nuestro interior, ideas, pensamientos, imágenes, pueden llegarnos. Estos son los regalos intangibles que el Espíritu nos da, y que nos sirven de puente entre el reino de Dios y la realidad de nuestras vidas diarias.

Nuestro trabajo consiste en ser receptivos a las ideas que nos llegan en esos momentos y de actuar acordes. Cada nueva empresa, cada producto, todo lo que vemos a nuestro alrededor, comenzó como una idea en la mente de un ser humano. Esa idea era el regalo y el puente a través de la cual el poder de Dios se manifestaba.

A comienzos del siglo veinte, un hombre de negocios recibió una idea que lo prosperaría. En ese entonces, las lavanderías colocaban un cartón en las camisas de los hombres para evitarles las arrugas, y así se las entregaban a los clientes. La idea consistía en utilizar ese cartón para colocar en él publicidad. Luego le apareció otra idea, colocar un juego para niños en la otra cara del mismo cartón, así la publicidad del otro lado se mantendría vigente por más tiempo. Qué ideas tan simples, pero hicieron millonario a quien las recibió y las puso en práctica. La prosperidad comienza como una idea que no sólo requiere de una mente receptiva, sino de mucha acción y trabajo.

Estar pendientes de las respuestas

La gente ha prosperado en medio de todas las condiciones económicas, tanto en los momentos de escasez, como en los momentos de abundancia. Esto es porque a nuestra provisión, estar conscientes de Dios, no la afecta la situación económica del mundo material. Es una ley universal que la consciencia espiritual se debe manifestar. Una de su primera manifestación es a través de las ideas. Son libres e ilimitadas como los pájaros en el cielo. Tal vez por esto Jesús dijo: *"El reino de los cielos es semejante al grano de mostaza que un hombre tomó y sembró en su campo. Es la más pequeña de todas las semillas, pero cuando ha crecido, es la mayor de las hortalizas, y se hace árbol, de tal manera que vienen las aves del cielo y hacen nidos en sus ramas"* (Mateo 13:31-32). El reino, sentir a Dios dentro de nosotros, es como una semilla de mostaza, porque crece. Eventualmente, se convierte en un gran árbol que atrae los pájaros en el aire, o sea las ideas que han de ser nuestra bendición.

En los tiempos de Jesús, la gente pensaba que cuando se refería al cielo, estaba hablando del cielo físico sobre nuestras cabezas. A las ideas se las comparaban con los pájaros, pues estos vuelan en el cielo. Las ideas que parecen en nuestra mente, son el puente entre el silencio y la realidad de nuestras vidas. Recordemos que los cuervos (podríamos interpretarlos como ideas) alimentaron al profeta. Estoy seguro de que en esa infinita dimensión de Dios, los cuervos pueden literalmente alimentar a una persona que esté consciente de su espiritualidad. También es cierto que las ideas han llevado a muchas personas a lograr éxitos sin precedentes, han nutrido sus almas, y han hecho que hombres y mujeres prosperen.

Es muy importante estar atento a las ideas, como a las oportunidades. Así es como se manifiesta nuestra consciencia de Dios. Tan pronto como la oportunidad llega, y la aprovechamos, prosperamos. Las oportunidades son un paso que nos acercan más al reino. Primero nos colocamos en una posición de silencio. Luego, al estar conscientes de Dios, nos invade un sentimiento de bienestar y seguridad y paz. Luego aparece una idea como un pensamiento o una imagen, o caemos encuenta de una oportunidad. Es importante que en este instante reconozcamos que se nos ha dado un regalo. Tal vez nos ofrezcan un nuevo trabajo, o alguien nos invita a una conferencia que cambia nuestra vida. Las posibilidades son infinitas.

Luego, debemos actuar. Ciertamente no esperamos que nuestra cuenta bancaria crezca porque sí. Debemos invertir en el Infinito, actuando inmediatamente sobre las ideas, o las oportunidades que se nos presentan.

Este es el mensaje que nos da Mateo 25:14-30. Un hombre rico se preparaba para irse de viaje y llamó a tres de sus sirvientes. A uno le dio cinco talentos (un talento era el equivalente a los ingresos de 15 años de trabajo). Al segundo le dio dos talentos, y al tercero, uno. *"A cada quien, según su habilidad"*. Los dos primeros sirvientes duplicaron los talentos. El tercero estaba temeroso de perder lo que tenía, y lo enterró.

Cuando el hombre regresó y supo lo que habían hecho con sus talentos, felicitó a los dos primeros sirvientes, y condenó al tercero. Los dos primeros estuvieron atentos a las ideas y las pusieron en práctica y prosperaron. El tercero permitió que el miedo se apoderara de él, y en vez de actuar prefirió no hacer nada. *"Quitadle, pues, el talento, y dadlo al que tiene diez talentos. Porque al que tiene le será dado, y tendrá más; y al que no tiene, aún lo que tiene le será quitado".*

No somos los sirvientes de un hombre rico, pero la vida nos brinda oportunidades para que actuemos sobre las ideas que tenemos. En esta forma, el reino se nos manifiesta en nuestras vidas. A los hebreos les llegó el maná, pero puedo asegurarles que primero estuvieron conscientes de Dios. En la Biblia tenemos muchos ejemplos de cómo la prosperidad se manifiesta: el maná de los hebreos, Jesús alimentando a 5000 personas con solo unos pocos peces. El aceite que se le multiplicó a Elías, etc. Pero nuestro objetivo no es hablar de la demostración. Recordemos que no estamos al servicio de las riquezas. Lo que queremos dejar claro es que lo más importante es tener consciencia de la Presencia de Dios en nuestras vidas. Lo demás viene por añadidura. Ampliemos esto.

La presencia de Dios está constantemente manifestándose en nuestras vidas, pero lo común es que no nos demos cuenta del maná y de las oportunidades que están en todas partes. Seguimos creyendo que la prosperidad viene del trabajo que tenemos, o del dinero que nos llega por un contrato, una venta, o en intereses y dividendos. En la vida de la mayoría de las personas se dan numerosas manifestaciones de prosperidad. Por ejemplo, cuando alguien nos invita a cenar, esta es una manifestación de lo que tenemos en nuestra consciencia, y una demostración de la prosperidad de quien nos hace el honor. Igualmente podríamos decir del vecino que comparte con nosotros las cosechas de su huerto. **Por un periodo de siete días, apunte en una libreta todo lo que le sucede por este estilo, y descubrirá bendiciones que ha mantenido enterradas por años.** Los caminos a través de los cuales recibimos manifestaciones de prosperidad constantemente son infinitos, sólo que como el sirviente de la historia bíblica, no estamos conscientes, o no sabemos qué hacer con ellos, y los enterramos en el olvido. Las bendiciones nos están llegando aún mientras leemos este libro. Descubrámoslas.

Ideas claves

1. No podemos servir a Dios y a las riquezas.
2. Estar conscientes de nuestra Fuente se manifiesta primero como un sentimiento de bienestar y seguridad.
3. Luego aparecen pensamientos, sentimientos, imágenes.
4. El silencio se manifiesta primeramente con ideas.
5. Las ideas son el puente entre el reino de Dios, y la realidad de nuestras vidas.
6. Debemos actuar sobre las ideas que recibimos y reconocer las oportunidades que se nos presentan.

Afirmación

Mi atención debe estar en Dios, no en la manifestación de la provisión.

Conclusión

La manifestación comienza en el silencio.

Prosperidad
en el hogar

Capítulo 8

❧ La prosperidad en la familia no es una cuestión sólo de dineros. Sin embargo, cuántas veces no hemos pensado que todo lo podemos resolver si tuviéramos suficiente. Más allá de las necesidades de dinero, hay muchas otras cosas sumamente importantes que el dinero no puede comprar: amor, autoestima, y en últimas el descubrimiento de quiénes somos y para qué hemos venido a la tierra.

La fuente infinita está dentro de nosotros, por lo tanto no hay nada más que podamos agregarnos. Debe haber una manera para que esa fuente de vida pueda brotar desde las cavernas oscuras de nuestros deseos materiales donde se encuentra, hasta llegar al espacio abierto donde pueda satisfacer esas necesidades que tenemos y que no se pueden comprar con dinero.

La mayoría de nosotros llegamos a la vida adulta llenos de esperanza de que vamos a tener una vida próspera, llena de grandes satisfacciones. Los años van pasando, y nos vamos dando cuenta de que las cosas no son tan fáciles. Muchos de nuestros sueños se quedan a la vera del camino. La vida se nos convierte en una dura lucha por sobrevivir, y nos comenzamos a angustiar por el futuro. Las decisiones equivocadas que tomamos en el pasado parecen limitarnos el presente y el futuro.

En un hogar donde el dinero no alcanza para cubrir las necesidades, la tensión se agudiza. La inseguridad prevalece afectando la confianza personal y la autoestima de los miembros de la familia. Comienza a darse el sufrimiento. Es una mezcla de lucha, de inseguridad, de angustia, de decepción, y como resultado las relaciones entre la pareja y los hijos se alteran. El dolor se da porque se desconoce la verdadera fuente de los recursos y de las provisiones que se requieren. Lo último que puede aún existir en una situación como esta, es la esperanza y la voluntad de poner a prueba los principios de prosperidad que hemos delineado en la primera parte de este libro, y comenzar una vida nueva. Mientras haya esperanza y voluntad, hay una salida.

En el hogar existen muchas necesidades, pero sabemos que estas no son el verdadero problema. Todo depende de lograr entender que la solución está en reconocer a Dios como la fuente. Y todos los miembros de la familia tienen que estar conscientes de ello, desde los niños hasta los adultos. Estos ven en sus trabajos o negocios la fuente de su provisión. Los niños creen que son sus padres quienes les suplen sus necesidades. Ambos están equivocados.

Un plan de prosperidad para el hogar

No se puede confiar en un plan para que cada uno de los miembros de la familia se haga consciente de la Presencia de Dios, y se enriquezca espiritualmente. Esto depende de la gracia de Dios, pero para lograrla debemos hacer todo lo que tengamos a nuestro alcance. Los pasos que vamos a proponer a continuación son apenas una guía, y de aplicarlos con sinceridad, puede resultar la inspiración que nos permita ver la luz que necesitamos.

Pasos y sugerencias

Uno de los principales problemas que debemos reconocer y dominar es la tendencia a pensar negativamente y prestarle atención a las necesidades. Actuar así es ir en contravía. Este es uno de los centavos al que nos referimos en el capítulo tres. Recordemos el principio: "...*porque al que tiene, le será dado, y tendrá más; y al que no tiene, aún lo que tiene le será quitado*" (Mateo 25:29). El que está consciente de lo que no tiene, continuará perdiendo lo poco que le queda. Así que debemos cambiar de inmediato nuestra actitud mental. Es fácil decirlo, ¿pero cómo comenzar?

Comencemos siendo agradecidos. Cuando damos las gracias, estas hacen que nuestros pensamientos se tornen positivos. Una sugerencia es que la familia se reúna y haga una lista de todas las cosas por las que deben estar agradecidos. La lista puede comenzar por las cosas materiales que tienen, sin olvidar todos esos detalles de expresión de afecto entre los distintos miembros, y las cosas intangibles con que cuentan.

Recordemos el principio: *"Al que tiene, le será dado más"*. Y el primer regalo es comenzar a caer en cuenta de que Dios es el proveedor, y que dirigiéndole nuestra atención, proveerá por todo lo que necesitamos.

Otra sugerencia es que cada vez que recibamos un cheque al endosarlo, escribamos debajo de nuestro nombre, la palabras *"gracias Dios"*. Con algo tan sencillo como esto estamos reconociendo la fuente. Una persona próspera no permanece indiferente ante las bondades que le suceden. Está siempre consciente de ellas, y las reconoce agradeciéndolas. De esta manera se establece una conexión entre ellas y la Fuente Infinita.

El ver el futuro con angustia y temor, es otra de las limitaciones que puede sufrir una familia. Por lo general son personas que están siempre acumulando cosas, en caso de lo que pueda pasar. Miren entre los armarios y las alacenas a ver qué encuentran. ¿Son necesarias todas esas cosas? ¿Algunas se guardan por razones sentimentales pero que sentido tiene guardar tantas otras cosas valiosas que se encuentran inutilizadas y llenando espacios por todas partes?

Lo hacemos pensando que algún día las vamos a necesitar, pero para entonces ya se nos habrá olvidado que las tenemos y saldremos a conseguir una nueva.

Almacenamos cosas porque nos sentimos inseguros, creyendo en que la provisión es limitada, y ante el temor de qué nos deparará el mañana. Las acumulamos porque creemos erróneamente que nos dan seguridad. Lo que en realidad sucede es que refuerza nuestro sentimiento de limitación y de carencia.

En Exodo 16:13-30 encontramos un buen ejemplo de lo que sucede cuando guardamos cosas. Cuando los hebreos escaparon de Egipto, el maná fue el sustento que tuvieron mientras andaban por el desierto. Este era un regalo de Dios mientras llegaban a la tierra prometida. Las directrices de Dios acerca del maná eran bien claras: cada familia debería recoger el suficiente que necesitara para un día. Solamente el viernes era permitido que recogieran y guardaran para dos días. De esta manera nada los distraería el día sábado, dedicado a descansar y dar gracias.

Al comienzo la muchedumbre hebrea, llena de temor por el mañana, incumplió las directrices de Dios, y se dedicaron a recoger más del que necesitaban. Sucedió que el que tomaron en exceso se llenó de gusanos y se pudrió. Lo mismo nos sucede cuando almacenamos más de lo que necesitamos, temiendo al mañana y creyendo en una provisión limitada. Nuestro temor hará que lo que tengamos se dañe, ya sean las cosas o nuestra salud mental. Algo se nos corromperá, con toda seguridad.

Recordemos de nuevo. Nuestra fuente es Dios, y estar conscientes de Dios es nuestra provisión. Esto es como el maná. Todos los días estará disponible, pero nadie podrá tomarlo en exceso. ¿Para qué?, si Dios está disponible a cada instante, todos los días. Sólo necesitamos conectarnos con El.

Otra sugerencia es que la familia, ya sea que esté conformada de muchas o pocas personas, purguen la casa. Consiste en buscar en todos los sitios por cosas que no se utilizan, ni se necesitan. Una buena regla es que si no se han utilizado en los últimos tres meses, hay que descartarlas. Recoja todas estas cosas y regáleselas a quienes las pueden necesitar, o salga y véndalas en el mercado de las pulgas, o a los almacenes de segunda.

Despegarnos de las cosas es muy importante. Un ejemplo de lo que sucede cuando nos aferramos a ellas lo podemos ver en el Gran Lago de Sal de Utah, y en el Mar Muerto entre Jordania e Israel. Son aguas muertas porque están estancadas, no tienen salida. Purgar nuestras casas nos enseña a tener confianza en la lección que se nos enseña con el maná de los Hebreos. Ese maná que era como el pan de cada día, era indispensable para sobrevivir en el desierto, pero más importante era la lección de dónde provenía.

Pagar nuestras cuentas

Cuando somos ricos en espíritu, pagamos nuestras cuentas con alegría. Cuando somos pobres, el pagar las cuentas nos cuesta mucho trabajo y lo hacemos de mala gana. La compañía de electricidad nos ha prestado este servicio durante un mes, permitiéndonos vivir con comodidad, y disfrutar de los aparatos electrónicos como la televisión, y tantos otros. Entonces por qué resentimos pagarle la cuenta. Lo hacemos por obligación pero con un sentimiento de ira, ya que podríamos utilizar el mismo dinero para otras cosas. Esta actitud y comportamiento son señales de que tenemos una consciencia de limitación y carencia, de que creemos en la provisión limitada, y de que tememos el mañana.

Siguiendo estos pasos, mucha gente ha comenzado a pagar sus cuentas teniendo en cuenta lo siguiente: en el cheque con el que pagan la cuenta, o en el comprobante de pago escriben en una esquina *"Bendiciones" o "Gracias Dios"*. Con este acto tan sencillo están reconociendo que Dios es la fuente, están agradecidos, no resentidos por el servicio, y que sus mentes están dispuestas a dar. Estos son requisitos indispensables que una persona que quiera prosperar debe tener presente. Cuando la actitud negativa, resentida y llena de pensamientos de necesidades, es reemplazada por un deseo de agradecer y bendecir, lo que está haciendo es sirviendo de canal al deseo divino de expresar lo bueno, la abundancia y la provisión.

Al ritmo de los Rodríguez

Quiénes son los Rodríguez y cómo llegaron a prosperar tanto? ¿Por qué nos disgustan, los envidiamos, y cuestionamos cómo consiguieron su fortuna? En la superficie parece que la envidia fuera dirigida solamente a los Rodríguez, pero siendo un sentimiento que tenemos cuando queremos desconocer las bendiciones de alguien, en el fondo es mucho más significativa acerca de lo que verdaderamente somos nosotros.

Nos está diciendo que en realidad lo que deseamos es tener lo que ellos tienen, sólo que no nos creemos capaces de lograrlo. En sí, la envidia es un sentimiento que nos está diciendo que no somos capaces de reconocer la fuente verdadera. Cuando nos logramos sobreponer a la envidia, porque estamos conscientes de la Fuente verdadera, nos regocijamos con la prosperidad de los Rodríguez, y le damos gracias a Dios, pues la prosperidad de ellos puede ser la misma nuestra si concentramos la atención en El como fuente. Conscientes de Dios, no es que queramos tener tanto como ellos o duplicarlo, sino experimentar nuevas dimensiones de su reino. Esto es mucho más valioso que cualquier bien material.

Aprendiendo a ahorrar

Los expertos financieros aconsejan que debemos tener ahorrado siquiera lo suficiente para sobrevivir durante seis meses en caso de que se dé un situación infortunada en que perdamos el empleo o los ingresos que nos mantienen. Si lo pudiéramos hacer, sería genial, y ellos tienen razón. Pero qué sucede después de los seis meses si no hemos obtenido otro trabajo, o los negocios no mejoran. ¿De dónde sacamos el dinero, o a quién acudimos?

Es aconsejable que ahorremos dinero, pero no pensando en una tragedia futura. Aún siguiendo el consejo de los expertos financieros, no estamos tranquilos. Esto confirma una vez más que nuestro tesoro no lo podemos construir en la tierra, sino en la consciencia de Dios.

Podemos ahorrar todo el dinero que podamos, pero nunca pensando en emergencias futuras. Ahorrémoslo para darnos gusto cuando así lo queramos, o para mejorar la situación de nuestra casa, para la educación de los hijos, para un auto nuevo, para unas vacaciones, para hacerle un regalo a alguien, o para una buena causa o entidad. No es que esto nos vaya a hacer prósperos. Es apenas una demostración de la prosperidad que resulta de haber acudido a la verdadera Fuente, al estar conscientes de que ésta está en Dios.

Riquezas sin posesiones

Entorpecemos el proceso dé que se nos de la prosperidad sin darnos cuenta. Aparentemente, la prosperidad es un principio muy fácil de demostrar, pero a medida que nos adentramos en ella, se requiere de habilidades muy especiales. Podría compararlo con el escultor que está tratando de crear una bella estatua de un trozo de madera. Al comienzo le queda muy fácil ir quitándole la corteza e ir dándole la forma que tiene en su mente, pero lo que se ve no es nada atractivo. Se necesita entonces de una gran atención al detalle para ir puliendo con sumo cuidado los contornos y darle belleza a la forma.

Es igual en el comienzo de nuestro proceso de obtener la prosperidad. En un comienzo nos parece que estamos progresando porque vemos por ejemplo que nuestros ingresos aumentan, o porque obtenemos más cosas que queríamos. Pero con el tiempo nos damos cuenta de que todo ello no es más que la forma burda de la pieza que deseamos tallar.

Eventualmente caemos en la cuenta que necesitamos pulirla en detalle, y para ello es necesario deshacernos de la idea de posesión. *"De Dios es la tierra y su plenitud; el mundo y los que en él habitan..."* (Salmos 24:1). Poseer cosas es un obstáculo hacia la prosperidad. Esto no sería cierto si fuéramos sólo seres humanos. Como tal nos hemos ideado escrituras, hipotecas, pagarés, y muchos otros documentos para demostrar que somos los dueños y por lo tanto poseemos ciertas cosas. Todo esto está fuera de lugar.

Recordemos la costumbre del Año del Jubileo al que nos referimos en el capítulo tres. Con ella los hebreos procuraban deshacerse de la idea de que poseían bienes al devolverlos al dueño anterior cada 50 años.

Cuando creemos en atesorar posesiones, lo que estamos haciendo es reafirmar que somos seres de carne y hueso. La verdad es que somos mucho más que eso. En realidad somos seres espirituales, y como tales no tenemos necesidad de poseer nada. ¿Qué puede un ser espiritual necesitar de las cosas de la tierra? ¿Acaso un ser espiritual necesita un automóvil para transportarse o una casa para vivir?

Lo que el ser espiritual necesita es estar consciente de lo que es. Esto es más que tener un vehículo, un techo. Es un estado de consciencia que nos acerca al reino de Dios. Esta es la verdad absoluta que para muchos es muy difícil de comprender pues viven pendientes de sus cuerpos materiales. Lo más importante por ahora es que no olvidemos esta verdad, y tratemos de balancear el hecho de que somos seres espirituales y tenemos a la vez un cuerpo material que exige satisfacerle unas necesidades. A esto se refería Jesús cuando decía que debemos darle al César lo que es de el César (el cuerpo), y a Dios lo que es de Dios (el espíritu).

Podemos ser los dueños de una casa, tener la ropa que deseamos, pagar las cuentas del automóvil que hemos comprado a plazos, pero no hagamos de ello nuestras posesiones. ¿Es esto posible? Claro que sí. El sentido de la posesión está solamente en la mente. Así como cuando nos trasladamos a vivir a otra ciudad, el trasteo se hace tan difícil según la cantidad de cosas que tengamos, un estado mental de posesión crea inmensas dificultades para abrir nuestras mentes a la riqueza y a la seguridad verdaderas. Cuando logramos deshacernos del sentido de posesión, encontramos un tesoro aún más grande en el cielo.

El plan del 80%

Una familia próspera diezma. Con ello está colocando a Dios en primer lugar en todas las áreas de su vida, incluyendo las económicas. Pues en verdad, no podemos aferrarnos al dinero como si fuera nuestro salvador y pensar en prosperar. Al diezmar y colocar a Dios en primer lugar, encontramos que con el dinero que nos queda cubrimos las necesidades y además nos enriquecemos aún más en espíritu. El diezmar lo podemos hacer de nuestros ingresos netos o brutos, pero debe ser lo primero que hagamos, no importan las necesidades que podamos tener. Si no es así, no estamos colocando a Dios en primer lugar, sino nosotros mismos. Por ello, lo primero que debemos hacer tan pronto nos entra un dinero, es colocar a un lado el 10 por ciento para Dios, y entregárselo lo más pronto posible a la persona o institución que nos alimenta espiritualmente.

Como decíamos anteriormente, el 10 por ciento nos puede parecer mucho al comienzo. Para irnos acostumbrando, entonces comencemos con un uno por ciento, y cada mes vamos subiendo el porcentaje hasta llegar a dar mucho más del 10%. Hacemos esto para reforzar nuestra actitud de consciencia de que lo hacemos por Dios, no simplemente por hacer una contribución económica. Debemos tener claro que cuando se trata de las cosas del espíritu, lo importante es que estemos conscientes de éste, y no que se nos convierta en una acción rutinaria, sin olvidar que las acciones son también la manifestación del espíritu. Lo que hagamos debe ser consecuente con lo que pensamos y creemos.

Algunos pueden argumentar que entonces lo que importa es la actitud y no la cantidad, y por lo tanto tratándose de Dios daría igual dar un uno por ciento o cualquier otra cantidad menor al 10%. Es cierto. Todo es cuestión de cómo valoremos nosotros mismos lo que es correcto. A través de la existencia del hombre se ha concluido que el 10% es lo mínimo en que podemos valorar la reciprocidad material por todo lo que recibimos de Dios.

El próximo Paso

Una vez hayamos pagado el diezmo, en seguida debemos reservar otro 10 por ciento para colocarlo en un sistema de ahorros o en un fondo que nos sirva para aprovechar las oportunidades que se nos vayan presentando y que no teníamos presupuestadas. Una de esas situaciones que podamos tomar como una bendición para la familia, o para otros. Sirva de ejemplo lo que nos sucedió una vez, cuando llegó a nuestra casa un joven que quería ir a la universidad y estaba consiguiendo fondos para la matrícula vendiendo discos con música infantil. No tenían precio, podíamos dar lo que quisiéramos. Enseguida vimos ésta como una oportunidad de ayudar a este joven a que siguiera sus estudios universitarios, y sacamos todo el dinero que teníamos en ese momento en nuestro fondo y se lo dimos a él. Nunca más lo volvimos a ver y nos preguntamos si no fue él un ángel que se nos apareció para darnos la oportunidad de compartir nuestra prosperidad.

Ajustar nuestro estilo de vida

Vivir con el 80 por ciento que nos queda de nuestros ingresos parecerá muy difícil y hasta imposible. Entonces vendrá la duda y hasta el resentimiento. La respuesta es: "¿Es así como quiere continuar viviendo toda la vida? Hay otra manera".

Debemos estar conscientes de que hay una

provisión infinita dentro de nosotros esperando a que la contactemos. Y para ello es necesario poner en práctica lo que hemos venido diciendo en este libro.

La gente más próspera en el mundo no utiliza su dinero solamente para darse gusto. Entiende que tiene la obligación de ser los servidores de los demás con su riqueza. Tal vez no pertenezcamos aún a este grupo de gente generosa, pero es lo que debemos procurar.

Nuestra provisión es estar conscientes de Dios, cada día más. No es fácil dejar a un lado todas las ideas erróneas que nos han tratado de meter en la cabeza desde niños a través de la publicidad, de la educación materialista, de los símbolos que nos rodean. Sólo que si nos sobreponemos a ello, y colocamos a Dios en primer lugar en nuestras vidas, la prosperidad verdadera se irá manifestando en nuestras vidas.

De nuevo, el proceso es así: **Comencemos ajustando nuestro estilo de vida para sobrevivir con el 80% de los ingresos mensuales. Otro 10% lo colocaremos en un fondo que nos permita aprovechar las oportunidades de expansión que se nos presenten. Y el 10% final, nuestro diezmo, lo dedicaremos a expandir las verdades espirituales sobre el planeta, a través de las personas o entidades que nos alimentan con estos**

principios.

La prosperidad en el hogar, como la prosperidad en los negocios, o en una congregación religiosa, es una oportunidad para experimentar a Dios como nuestra Fuente. Los individuos dedicados a promulgar estas verdades se enfrentan a retos muy grandes cuando tienen que demostrar con hechos que sí son ciertas. Esto es lo que nos propusimos al iniciar la segunda parte del libro. Sólo poniendo en práctica estas verdades podremos saber si funcionan o no. Si comenzamos ya mismo, los hechos nos lo dirán. No seremos la excepción; a través de la historia del hombre han quedado escritos los testimonios de quienes lo han podido experimentar a plenitud.

Ideas claves

1. La prosperidad en el hogar no depende sólo de dinero.
2. Un obstáculo hacia la prosperidad es pensar negativamente.
3. Cuando somos agradecidos, permitimos que los pensamientos positivos surjan en nuestras mentes.
4. Otro obstáculo es el miedo. El miedo nos hace acumular cosas.

5. Estar conscientes de Dios nos hace prósperos. No necesitamos llenarnos de cosas para el mañana.
6. Estar conscientes de Dios no tiene límite y todos tienen acceso a ella.
7. El sentido de posesión es otro obstáculo para la prosperidad.

Un plan de prosperidad

1. Cada miembro de la familia hace una lista de todas las cosas por las que deben dar gracias.
2. Cada vez que reciba un cheque endóselo con la inscripción: "Gracias Dios"
3. Deshágase de las cosas innecesarias purgando su casa.
4. Establezca un plan de prosperidad dejando un 80% para sus necesidades diarias.
5. Coloque a Dios en primer lugar diezmando por lo menos el 10% cada mes.
6. Coloque otro 10% de sus ingresos en un fondo especial de oportunidades.

Afirmación

Hoy doy los primeros pasos que me han de preparar hacia mi despertar espiritual.

Conclusión

Pongo en práctica las verdades espirituales que he venido aprendiendo en este libro.

Principios espirituales en el mundo de los negocios

¿Negocios o negociados, ¿cuál?

❀ El mundo de los negocios y el reino de Dios están muy cerca. Los principios espirituales que hemos venido aprendiendo funcionan tanto en el mundo de los negocios como en el hogar, o en el trabajo, o en la iglesia, o en la economía nacional y mundial. No pueden ser válidos sólo para uno de esos campos y no en los demás.

El mundo necesita de gente valerosa que practique estos principios y no se deje llevar por los que dicen que para sobrevivir en el día de hoy "el fin justifica los medios". Las apariencias que vemos parecen indicarnos que en el mundo de los negocios sólo triunfa el más fuerte, o el más deshonesto, y quien no quiera vivir según la "regla de oro" está llamado a fracasar.

Lo que en realidad se necesita en el mundo de los negocios son líderes innovadores. En especial hombres de negocios que conozcan los principios espirituales y quieran tener como socio a Dios. Estos ejecutivos y sus asociados estarán sujetos a los altibajos de la economía local, nacional y global, pero en vez de sucumbir como les sucede a tantos, sobresaldrán por encima de los demás, demostrando con ello que los negocios en los que se tenga a Dios presente, son la única alternativa para lograr el bienestar que todos buscan. De esta manera una antigua promesa se realiza: *"En todo cuanto emprendió en el servicio de la casa de Dios, de acuerdo con la ley y los mandamientos, buscó a su Dios, lo hizo de todo corazón, y fue prosperado"* (2 Crónicas 31:21).

¿Trabajar día y noche?

"Considerad los lirios del campo, cómo crecen: no trabajan ni hilan; pero os digo, que aún Salomón con toda su gloria no se vistió así como uno de ellos" (Mateo 6:28-29). Tenemos que escoger entre trabajar día y noche hasta rendirnos de cansancio a medida que buscamos los éxitos terrenales, o somos como los lirios del campo y lograr los éxitos que buscamos de acuerdo con nuestra naturaleza espiritual. A nuestro alrededor vemos las consecuencias de los que escogen la primera alternativa: úlceras, tensión arterial, alcoholismo, adicción a las drogas y al cigarrillo, familias deshechas, etc. En cambio a los que escogen la segunda los vemos llenos de paz, sonrientes, tranquilos, prósperos. Para los primeros, la vida no tiene sentido, y para los segundos, la belleza está en todas partes. Las flores son bellas porque son el reflejo de su verdadera naturaleza. No tratan de ser lo que no son, ni viven en contra de los principios de su Creador.

Nosotros también estamos destinados a ser expresión de la belleza que llevemos en nuestro corazón. Cuando nuestras vidas están dedicadas sólo a cosechar bienes materiales, hemos olvidado nuestra naturaleza espiritual. Trabajar día y noche se vuelve nuestro propósito, ¿y para qué? *"¿Pues, de qué le sirve al hombre, si gana todo el mundo, y se destruye o se pierde a sí mismo?"* (Lucas 9:25).

Cuando una empresa busca bajar los costos fijos en detrimento del servicio a sus clientes, cuando los inversionistas sólo piensan en sacar máximo provecho a su dinero olvidándose de los que trabajan a su servicio, han escogido el camino inverso. Por un tiempo los balances podrán mostrar utilidades, pero no será por mucho tiempo. Los que prefieren este camino se pierden en él.

En sociedad con Dios

¿No sería maravilloso tener a Dios como socio? Imaginen los recursos disponibles y la dirección acertada que se recibiría a través de El. ¿Si en vez de ser los administradores, o los trabajadores de la empresa, fuéramos sus socios?

Ser uno con Dios es tan posible para un obrero, un profesor, una vendedora, un ingeniero, una especialista en sistemas, o cualquier otro, como lo es para el que escoge ser líder espiritual. No hay razón para que no podamos experimentar en nuestro trabajo, en nuestra profesión, en nuestros negocios, en el manejo de la política, la paz, el gozo, y el éxito que resultan al tener a Dios como socio, sobrellevando una vida plena.

Cuando decidimos que vamos a estudiar una carrera profesional, o cuando entramos a trabajar en una empresa, o nos dedicamos a negocios propios, estamos llenos de optimismo. Queremos triunfar, dedicarnos de lleno a lograr los objetivos, que nos han de demostrar que hemos prosperado. Para una gran mayoría, esto se convierte con el tiempo en todo lo opuesto. El idealismo del comienzo se convierte en cinismo. Los sueños de éxito se tornan en fracasos. La vida anhelada de prosperidad se vuelve tediosa y mediocre. Nuestra rutina diaria se torna desesperante. Quisiéramos escaparnos, huir, ¿pero a dónde? Si analizamos cuidadosamente esta situación nos daremos cuenta de que en todo ese tiempo en el que menos pensamos, al que menos acudimos fue a Dios. Lo hemos reemplazado por el dios de las utilidades, del éxito material. Siempre tendremos una excusa para justificar el fracaso. La crisis de la economía nacional o global, el cierre de los créditos financieros, la competencia desleal, etc.

Cuando se da esta situación nos encontramos en un momento critico frente a nuestras vidas, a nuestra profesión, a nuestra empresa. El idealismo y la inocencia con las que nos iniciamos ya no existen más. Nos sentimos sin ganas para continuar. Hemos perdido nuestro tiempo. Es en estos momentos cuando necesitamos una tabla de salvación. Esta se encuentra en los principios y los valores que no solamente nos sacarán adelante, sino que le proporcionarán sentido a nuestra vida. Descubriremos que aferrándonos a ella, tanto nuestra profesión como nuestra vida en general no será más que un reflejo de lo que llevamos en nuestro interior.

Valores para el siglo 21
Liderazgo en los negocios

Todo círculo tiene un centro alrededor del cual se forma una circunferencia. Todo negocio, toda empresa, tiene un líder o un grupo de personas, que sirven como el centro del círculo. Aquí es donde comienza el éxito. Son los **valores** del presidente, de la junta directiva, de los directores, los que determinan el éxito de los demás en la empresa. Estos valores no son los que están escritos en los manuales de funciones, sino las bases personales que cada uno de ellos tiene en su relación con Dios, según Lo tengan o no como socio. Algunos de estos valores son:

Valor No. I

"*Cuando no se tiene una visión, la gente perece*" (Proverbio 29:18). Si nos fijamos en el centro del círculo, encontraremos una visión. La visión o el propósito que se tenga es definitivo para el éxito de una empresa o de un individuo que estén conscientes de su misión espiritual. La visión es algo que hace que la gente le dedique a ella sus talentos, su creatividad, su tiempo. Le permite darse cuenta que su vida tiene propósito, es útil. Que hay algo más allá de ganar dinero y tener cómo satisfacer las necesidades materiales. Sin una visión clara, la vida no tiene sentido.

Hace unos años Christopher Wren, un famoso arquitecto y constructor inglés, estaba inspeccionando la obra de un gran edificio. Se acercó a uno de los obreros y le preguntó qué hacía, y la respuesta que recibió fue que trabajaba para ganarse un salario diario. Para el Sr. Wren este hombre estaba allí por dinero. Le hizo la misma pregunta a otro obrero, y la respuesta fue que estaba construyendo una pared. De nuevo el arquitecto concluyó que estaba limitado por la tarea a realizar. Buscó un tercero y le preguntó lo mismo. Sin saber quién era el que le hacía la pregunta, el hombre respondió: "Estoy ayudándole al Sr. Christopher Wren a construir el mejor edificio del mundo". Esta es una visión que hace que el trabajador más sencillo de la empresa se convierta, junto con el presidente y la junta directiva, en el centro del círculo.

Valor No. 2

"...*el Hijo del Hombre no vino para ser servido, sino para servir...*" (Mateo 20:28). Cuando tenemos a Dios como socio, ninguno de los valores permanece aislado de los demás. Tener una visión es estar en el centro del círculo, pero cuando nos acercamos a él, descubrimos que ello quiere decir servicio. El prestar un servicio es la semilla cuyo fruto se traduce en una empresa, o en una carrera, o en una vida de éxito.

Se ha dicho, encuentra una necesidad y resuélvala. Toda empresa comienza con una idea. Las ideas, por su naturaleza, no son de este mundo, pero se pueden transformar en formas materiales visibles. Es así como le ayudan a la humanidad a solucionar problemas de toda índole, de alimento, ropa, comunicación, entretenimiento, medicina, etc.

Se dice que América con su sistema capitalista es la tierra de las oportunidades. Millones de inmigrantes de todas partes del mundo han venido a esta tierra en busca de una vida mejor. Habrán descubierto que ante todo América es una nación donde al individuo se le da la oportunidad de servir a los demás y de ayudarles a lograr sus objetivos.

Cuando tenemos una sociedad con Dios, estamos no para ser servidos, sino para servir. El capitalismo no es pues una sociedad para acrecentar el capital, sino donde ayudar a los demás es de capital importancia. Donde encontramos que nuestra razón de ser es simplemente más significativa que existir de un día para otro. Al cumplir con nuestras obligaciones de trabajo, y con nuestras responsabilidades ante la familia, la sociedad y la nación, debemos tener presente esto, y no dejar que nos perdamos en medio de la congestión.

Una empresa exitosa experimenta un continuo flujo de ideas de cómo servir a los demás. La visión es la del servicio y esa es su razón de ser. En consecuencia continuamente le están apareciendo nuevas ideas de cómo mejorar sus productos y sus servicios, y estos a la vez requieren que cada vez se estén perfeccionando.

Unos amigos me contaron de una experiencia

que tuvieron cuando fueron a un almacén en busca de un producto y se encontraron con que se había agotado. La vendedora quiso ayudarles buscando en qué otro almacén lo podrían encontrar, hasta que lo halló donde la competencia, y así se los dijo. Efectivamente lo encontraron allá, pero como la vendedora les había ayudado a encontrar la solución, se volvieron clientes asiduos de ella.

No podemos olvidar que el servicio a los demás debe estar en primer lugar en todas nuestras actividades, pues así lo exige nuestro socio divino. De lo contrario tendremos que resolver los problemas solos y es cuando aparecen los errores y las decisiones funestas. Cuando la motivación está concentrada en los rendimientos económicos en vez del servicio, las empresas terminan agotándose por sí mismas.

El desecho de residuos tóxicos en sitios inapropiados y el ofrecer sistemas mecánicos o de cualquier índole que son inseguros, es apenas un ejemplo de círculos sin un centro, donde el espíritu creativo y empresarial innovador están agotados. Es cuestión de tiempo antes de que caigan por el suelo derrotadas. En vez de responder rápidamente a las necesidades de la sociedad, estas empresas se mueven como gigantescas excavadoras, causándole daño a quienes encuentran por delante. Prefieren dar excusas y esconder los daños que asumir la responsabilidad por sus actos. Para ellos el dinero tiene un valor más alto que la integridad y el bienestar del público. Sin duda, estas empresas fracasarán con el tiempo, pues nada duradero resulta cuando se le saca el cuerpo al socio principal que es Dios.

Valor No. 3

"...tenemos la mente de Cristo" (1 Corintios 2:16). Tenemos dentro de nosotros la sabiduría de los tiempos y por lo tanto la habilidad para ver claramente y actuar con sabiduría. La cuestión es cómo permitir que ese "esplendor en nuestro interior" se manifieste. En los negocios, hacer que esto se suceda es la responsabilidad de los jefes. Los negocios del siglo 21 se caracterizarán por su creatividad.

Contactar la sabiduría de cada uno de los asociados será posible en diferentes niveles. La mayoría de los trabajadores tienen un sentido de cómo realizar sus tareas de la manera más efectiva. Por qué no preguntarles y tenerlos en cuenta cuando se trata de mejorar la productividad. Ellos deben sentirse parte del proceso creativo de sus superiores para que se sientan estimulados a producir nuevas ideas que les permita servir mejor.

Otra manera que permite que ese "esplendor

en el interior" de cada uno de los colaboradores se active, es dándoles tiempo para pensar. La mayoría de las veces el ritmo de trabajo de una empresa convierte a los trabajadores en meros robots que realizan tareas rutinarias, sin que tengan tiempo para pensar cómo mejorar su desempeño. Una empresa puede tener una división de investigación y desarrollo, pero no basta sólo con unas pocas personas que piensen por los demás, cuando si se les da la oportunidad de pensar a todos los que trabajan en ella, se pueden conseguir algunas ideas sumamente valiosas. Sólo necesitan que se les dé la oportunidad de pensar y de expresarse para que descubran el esplendor que llevan dentro de sí.

Conozco una empresa que tiene una sala especial donde sus trabajadores pueden ir durante el día no sólo a pensar sino a relajarse y encontrar paz. Cuando los jefes saben que cada uno de sus trabajadores puede ser una fuente de sabiduría, contribuirá a que la puedan expresar y evitarán cualquier cosa que se interponga.

Una gran barrera en ese proceso es el "stress". Los humanos están sujetos a este desgaste diariamente. El "stress" en sí no es el problema, sino la inhabilidad de encontrar con quién compartirlo, con quién solucionar los problemas que lo originan. La creatividad cesa cuando la angustia del stress permanece latente y los jefes no caen en la cuenta de ello.

En un sitio donde trabajé cuando joven, cada vez que los trabajadores trataban de compartir sus problemas, los jefes decían que eso parecía un "problema personal" y los hacían callar. Con ello estaban diciendo que a la empresa no le importaban los problemas personales de los trabajadores, ni estaba para proporcionar una solución. Me di cuenta que un trabajador pierde su efectividad si no puede tener tranquilidad personal, y esta es por lo tanto responsabilidad de la empresa.

En nuestra sociedad, cuando una persona tiene problemas personales se le pone en contacto con las instituciones creadas para proporcionar ayuda, tales como trabajadores sociales, sicólogos, sacerdotes, etc. La política de las empresas es desconocer los problemas personales de sus trabajadores procurando así que estos no interfieran con la productividad. Pero como decíamos hace un instante, quien tiene problemas personales no podrá ser efectivo, por lo tanto necesita que la empresa le preste atención para que los resuelva y pueda concentrarse en su trabajo nuevamente.

En el siglo 21, la política de las empresas ha de ser una que tenga en cuenta tanto el bienestar integral de sus trabajadores como su desempeño laboral. Ya esto se está instituyendo en muchas partes. A los trabajadores se les ofrece facilidades para que mediten, hagan ejercicio, tengan salascunas para sus hijos, y dispongan de suficiente tiempo libre para que puedan descansar y pensar. Así, en el futuro, los individuos podrán estar más conscientes de su potencial creativo.

El resultado práctico de todo esto es que las personas que trabajan en una empresa se sienten tenidas en cuenta. Cada uno es tan importante como el otro. Pareciera que el más importante es el presidente, porque sus decisiones afectan a todos los que trabajan, pero sin la colaboración de los demás, sus decisiones no serán tan acertadas. ¿Qué le sucede a una empresa si no logra despachar la mercancía a tiempo, si la recepcionista trata mal a los clientes?

Las empresas más productivas del siglo 21 serán aquellas donde sus trabajadores se sientan orientados, estimulados a participar creativamente. No basta con que estén bien pagados y tengan toda clase de beneficios. Ellos querrán expresar el "esplendor" que llevan por dentro.

Esto se logra invitando a todos los trabajadores a participar en reuniones donde puedan expresarse. Con esto se les está diciendo que se les tiene en cuenta porque en cada uno de ellos habita el espíritu creativo de Cristo. Muchos no podrán aprovechar esta oportunidad. Experiencias dolorosas del pasado, en que sus jefes les impidieron expresarse, pueden estar afectando su confianza, y su autoestima. Se debe por lo tanto crear un ambiente propicio para que cada individuo pueda sentirse seguro, confiado, y poderse expresar libremente. Esto no quiere decir que estas situaciones se presten para la insubordinación o la crítica negativa. Así como en el siglo 21 la empresa debe servir de canal para que la creatividad del individuo se exprese, este también debe estar consciente de sus responsabilidades.

Responsabilidades de los miembros de una empresa del siglo 21

Cada miembro debe conocer a fondo la visión y el propósito de su empresa. Esta visión es sumamente valiosa porque es la base espiritual que le da sentido a la organización. Al comienzo, se hará conocer a través de programas de inducción, y luego mediante sistemas de comunicación.

Cada miembro debe estar consciente de que está para servir. Se dice que hemos pasado de la era industrial a la era de las comunicaciones, donde el servicio es de primordial importancia. Esto no es cierto, pues a través de todas las épocas el servicio ha sido una constante. Tal vez sea más obvio en el día de hoy, pero lo cierto es que todos deben tener el servicio como una prioridad, pues no puede existir una empresa o un negocio que no tenga en su visión el servicio y el deseo de contribuir a solucionar los problemas de los demás.

Cada miembro de la organización debe tratar de expresar el "esplendor que lleva dentro de sí". La más grande satisfacción que puede tener una persona es ser creativa. Estamos creados a imagen y semejanza de Dios, y como tal somos perfectos y nada podemos agregarnos, sólo que ese esplendor permanece escondido dentro de nosotros y debemos encontrar la forma de expresarlo. Es responsabilidad de los jefes de una empresa el crear una atmósfera positiva para que ese "esplendor" que todos llevan dentro se manifieste y sea compartido para beneficio de todos.

Cada miembro de la organización tiene la responsabilidad de permitir que sus problemas sean resueltos. Con frecuencia cuando sufrimos de complejos de culpa o de inferioridad, tratamos de descargarnos en otros. Creemos que la culpa la tiene la empresa o el supervisor. A menudo los problemas que tenemos en la casa los traemos al trabajo y actuamos de manera incorrecta buscando una reacción que nos permita desahogarnos. Ciertos niños crecen con la necesidad de que sus padres aprueben todo lo que hacen. Una vez grandes y comienzan a trabajar, los supervisores reemplazan a los padres, y la aprobación de estos se vuelve importante para su tranquilidad. La empresa debe enseñarles que cada cual debe asumir la responsabilidad de sus actos y estar pendientes de producir, no de que estén supervisando y aprobando cada uno de sus movimientos.

Si un individuo encuentra que en su trabajo no se le da la oportunidad para expresar la creatividad que lleva dentro de sí, en vez de sentirse como una víctima, debe renunciar y buscar otra oportunidad donde pueda darle expresión al ser espiritual que es.

Todo miembro de la organización debe actuar con confianza en los demás. Aun en las empresas donde hay gran comunicación entre todos sus miembros, no es posible que todos conozcan las razones por las que se tomen ciertas decisiones. Estas deben ser acatadas por todos con confianza, aunque no tengan sentido para muchos. Lo importante es que los miembros vean que en esas decisiones prevalece el objetivo de la visión y los ideales que le dieron vida a la empresa.

Es vital que a todos los miembros se les permita ser humanos. Esto quiere decir que todos tienen derecho a equivocarse y a cometer errores. Cuando esto sucede no quiere decir que ya no se pueda confiar más en ellos. Es cuando más deben sentir el apoyo de los demás, en particular de los jefes. La actitud de todos debe ser la de confiar en los demás.

Cada miembro de la organización debe buscar crecer y dar más de sí mismo todo el tiempo. En las empresas del siglo 21, no basta con llegar a tiempo y cumplir con lo que se tiene que hacer. Cada individuo debe estar en la búsqueda constante de cómo superarse cada vez más, de manera que pueda expresar ese "esplendor" que lleva dentro de sí. Esto es crecer. Cuando se retire debe ser una persona que a través de los años que pasó en la empresa creció, participó activamente en su desarrollo, y tuvo la satisfacción de ser no un ente productivo, sino un ser creativo. Todo ello con el apoyo de sus jefes y de sus compañeros.

Se espera de todos que sean leales y le dediquen a la empresa toda su energía y concentración. Pero debemos estar conscientes de que no podemos creer que es la empresa la que nos provee y resuelve nuestras necesidades. Recordemos que nuestra identidad no está basada en las cosas materiales, sino que somos ante todo seres espirituales, y que nuestra confianza está puesta es en Dios. El día que dejemos la empresa, porque encontramos otra oportunidad mejor, o simplemente nos jubilamos, estaremos siempre seguros de que nuestra consciencia en Dios es la que nos provee, no importan las circunstancias que tengamos que atravesar.

Cada miembro de la organización tiene la responsabilidad de ver en Dios la fuente de su provisión. La empresa en la que trabajan es apenas una manifestación de esa consciencia divina en cada cual. Por ello todos sus miembros la respetan, la sirven con cariño, buscando que cada día sea mejor, más acorde con los principios que cada cual lleva en su mente y en su corazón, como reflejo de que **Dios es la fuente y la consciencia de Dios es la provisión.**

Un siglo 21 sin deudas

El tener deudas es considerado por muchos como uno de los principales obstáculos para prosperar. Vivir con deudas, sin embargo, se ha convertido en lo más común para sobrevivir en nuestra sociedad. Hoy en día, la mayoría de la gente se pasa toda la vida pagando deudas que adquiere. Es obvio que la ruina financiera le llega a cada persona o empresa que no pague sus deudas. Las buenas noticias para este siglo 21 es que el tener deudas, ya sea a nivel personal, o de empresa, no es el problema principal.

Desde el punto de perspectiva espiritual, tener una deuda no quiere decir deberle dinero a un individuo o a una institución. La verdadera deuda ocurre cuando pensamos que no podemos pagar una cuenta, o nos duele el hecho de tener que pagarla. Una deuda verdadera no es más que un pensamiento de carencia, de falta, y se debe pagar.

Charles Fillmore, el co-fundador del movimiento "Unity", entendía muy bien esta situación y en su libro Prosperidad escribió: "Es muy posible que los papeles se inviertan, y quien debe cobrar la deuda termine a la vez debiéndole a su deudor. Esto sucede cuando la deuda está activa pero no se efectúa el pago. Entonces comienza a pensar en la falta de ese pago, y enfoca su atención en lo que no tiene. Si esto se prolonga por un tiempo, éste termina también con una deuda mental, pues, endeudarse no es solamente deber dinero, sino principalmente permitir que la atención se concentre en la insuficiencia, en lo que no se tiene.

Al actuar así y contraer una deuda mental, esta se tiene que pagar, y se logra cambiando de un pensamiento negativo a uno positivo. Charles Fillmore dice que quien espera cobrar debe bendecir a su deudor y conocer la verdad acerca de éste. Pensar mal del deudor no ayuda a que éste pague la deuda. En cambio, muchas deudas se han pagado cuando quien debía cobrarlas bendice y piensa lo mejor de quienes le debían.

Esta debe ser la actitud positiva de los directores de cualquier empresa o negocio. Hace un tiempo leí una historia de un hombre a quien le debían dinero. El envió por correo recordatorios del pago que le debían hacer, pero nada sucedió. Y cada vez se preocupaba más. Finalmente, encontró la solución. Le escribió a sus deudores, les contó de su preocupación, y que había decidido bendecirles y perdonarles la deuda.

Cualquiera diría que este hombre de negocios había perdido la cabeza. Pero desde la perspectiva espiritual era la solución ideal. El hombre de negocios se había dado cuenta de que su actitud de resentimiento por el no pago era la barrera que le impedía cobrar y prosperar. Con esta decisión puede ser que perdió los dineros que le debían, pero de continuar como estaba hubiera perdido aún más debido a su consciencia de insuficiencia. Solamente podía liberarse de ello al revelarle a sus deudores sus sentimientos de carencia, perdonarles la deuda y bendecirlos. Lo más interesante de la historia, es que los deudores pudieron y quisieron pagarle las deudas.

Cuando detestamos pagar nuestras deudas lo que estamos haciendo es llenando nuestra consciencia de sentimientos de carencia. Esta domina nuestra vida cuando vivimos más allá de nuestros medios y pasamos el tiempo pensando cómo vamos a cubrir nuestras cuentas. Pensamos en carencia cuando no tenemos lo que otros nos adeudan. Muchos negocios que hubieran podido ser exitosos fracasaron cuando sus dueños actuaron de esta manera. La insuficiencia tiende a crecer siempre, no importa cómo se inicie. Solamente se puede evitar pagando las deudas adquiridas ya sean reales o mentales.

Responsabilidades de quienes tienen riquezas

Un hombre de negocios exitoso bendice a mucha gente: a sus clientes, a sus vendedores, a sus proveedores, a sus asociados, a sus colaboradores, a la comunidad. A veces los directores, los administradores, ganan mucho dinero. Al tener más poder adquisitivo se despierta el deseo por adquirir más bienes. Se compran casas, automóviles caros, diamantes y obras de arte. Pero el hombre de negocios que tiene consciencia espiritual utilizará su riqueza de otra manera. En vez de convertirse en centros de consumo, serán centros de redistribución para el bien común.

Así como en una empresa se requiere de una visión, de la misma manera se debe tener un objetivo muy claro de cómo invertir la riqueza. Sir Jhon Marks

Templeton es una persona que ha hecho una fortuna con sus inversiones. Es un hombre admirado por muchos, pero lo que lo distingue de los demás son sus ideales. Estos lo convierten en un hombre inmensamente rico espiritualmente.

En 1972 el Sr. Templeton concibió un premio que se le entregaría a un individuo o una entidad que contribuyera al crecimiento espiritual del planeta. Personas como la Madre Teresa y Billy Graham lo han recibido de manos del Príncipe Phillip en Londres.

El Premio Templeton tiene más valor que el Premio Nobel de la Paz, porque su creador piensa que el desarrollo espiritual de la humanidad es la base de la paz. El Sr. Templeton apoya numerosos otros proyectos que contribuyen a incrementar una consciencia espiritual.

El Sr. Edwing Kauffman de la ciudad de Kansas, es otro ejemplo de un líder empresarial que ha contribuido con su visión espiritual al bienestar de muchas personas en el siglo 21. Poco después de su muerte, el periódico de Kansas, en su volumen 11, número 46, registra las innumerables contribuciones de este hombre a su comunidad y a la humanidad. Algunos de estos proyectos tienen que ver con suministrar fondos para que cientos de jóvenes que mantienen buenas notas y se abstienen de tomar drogas puedan terminar sus estudios secundarios y seguir a la universidad. Otros tienen que ver con prestar asistencia médica a niños y jóvenes que provienen de familias con padres separados.

Edwing Kauffman y John Templeton son ricos en espíritu. Han trabajado a consciencia, han tenido una gran visión, saben que han sido bendecidos y en consecuencia desean extender estas bendiciones a la humanidad.

Esto lo podemos hacer cada uno de nosotros, pero es muy importante que los que disponen de riquezas estén conscientes de esta oportunidad, y las pongan al servicio de los demás. Tal como está estructurada nuestra sociedad, la gente que tiene una visión puede hacer que el dinero transforme positivamente la vida de muchos otros, tal como lo han hecho John Templeton y Edwing Kauffman. Para ellos el dinero tiene un propósito divino como es el de contribuir a que la humanidad descubra su potencial.

Reunidos en su nombre

Los negocios del siglo 21 se harán en sociedad con Dios. El hombre emprendedor y sus colaboradores estarán unidos por una visión y unos ideales muy altos. Se reunirán en Su nombre, y algo increíble brotará de en medio de ellos. *"Porque donde están dos o tres congregados en mi nombre, allí estoy yo en medio de ellos"* (Mateo 18-20). El servicio y la creatividad serán los faros de esta sociedad dedicada al bien común.

Cada persona en la empresa, ya sea el Presidente, o el Asistente Ejecutivo, o simplemente el trabajador, serán una ventana a través de la cual los principios de la empresa se expresarán. Los ideales se harán evidentes en la Junta Directiva, y en la Asamblea General. La visión que llevó a la creación de la empresa y a su mantenimiento será expresada por su Presidente en cuanta oportunidad se le presente, y ésta se sentirá cada vez que en la recepción le den la bienvenida a cada visitante.

Ideas claves

1. Acumular riqueza o tener una profesión no son la razón de nuestra existencia.
2. Las personas con los ideales más altos contribuyen al crecimiento espiritual de la humanidad.
3. Nuestra vida profesional es un reflejo de nuestros valores y creencias.
4. La visión y el servicio son definitivos para el éxito de

una empresa.

5. Las empresas del siglo 21 serán sumamente creativas.

6. Las responsabilidades del colaborador de una empresa en el siglo 21:
   - Conocer la visión y el propósito de la empresa.
   - La prioridad de su trabajo es servir a los demás.
   - Expresar el "esplendor creativo que lleva en su interior".
   - Permitir que sus problemas sean resueltos.
   - Confiar en los demás.
   - Ser un individuo que siempre está creciendo espiritual-mente.
   - Ve en Dios su fuente de provisión.

9. Tener deudas es una actitud mental de insuficiencia.

10. Un hombre de negocios exitoso bendice a sus clientes, a sus proveedores, a sus colaboradores, a sus ejecutivos, a la comunidad, etc.

Afirmación

Dios es mi socio.

Conclusión

Mi trabajo y mi visión se traducen en servicio.

Plan de prosperidad de cuarenta días

❧Ningún profeta nos puede decir qué tanto tiempo nos tomará el prosperar. Sin embargo, la seguridad y el bienestar basados en raíces espirituales son nuestro destino. Esta sección del libro le tomará por lo menos cuarenta días, sin que tengamos que ser tan minuciosos. El número cuarenta, bien sean de días o de años, simbolizan el tiempo requerido para completar una tarea.

Nuestra tarea es abrirnos al Espíritu y experimentar una nueva forma de vida. Delante de nosotros podemos tener cuarenta días literalmente, pero existe un viaje aun más largo e interesante. Es el de la perseverancia para encontrar el liderazgo que nos lleva al descubrimiento de que "los campos están listos para ser cosechados."

Día uno
Hoy me hago socio de Dios

No se puede prosperar solo. Nadie puede. Si no se tiene una relación con Dios, no hay bienestar ni seguridad. Cientos de personas pueden trabajar conmigo, pero si no tengo una relación consciente con Dios, la prosperidad es tan solo una fantasía.

Hoy comienzo una sociedad con Dios. El Espíritu es mi socio ciento por ciento. Me guía una sabiduría infinita. Todos los recursos necesarios para el éxito están a mi disposición. No le temo a nada porque Dios es mi socio.

En el mundo de los negocios, para ser parte de una sociedad se requiere de una invitación a participar en ella. En el siguiente espacio escríbele una invitación a Dios para que sea tu socio. Descríbele en que consisten tus aportes a la sociedad.

Día dos
Las necesidades no son lo importante

Las necesidades dominan mi atención. Ellas me dicen que tan importantes son y cómo deben ser satisfechas. A veces no sólo parecen ser la preocupación, sino lo más preocupante. Cuando recuerdo épocas difíciles, me doy cuenta que las preocupaciones fueron las que me llenaron de intranquilidad y de inseguridad.

Trate de recordar una época de su vida cuando las necesidades lo tenían absorto. Pudo haber sido cuando carecía de trabajo, o había perdido a la persona que más amaba, o le faltaba algo que necesitaba con urgencia. Las posibilidades son infinitas. En el espacio que sigue describe lo que en ese momento más necesitabas y cómo te sentiste.

_____
_____
_____
_____
_____

Deja que sea lo que escribiste lo que te haga pensar que las necesidades no son lo importante. **Mientras concentres tu atención en las necesidades no podrás prosperar.**

Día tres
Dios no satisface nuestras necesidades

Durante miles de años, la humanidad ha creído que Dios satisface las necesidades, y debido a esta creencia, hemos rezado y rezado. Algunas veces pareciera que Dios contestara nuestros ruegos y nos diera lo que creemos que necesitamos. En otras ocasiones, parece que Dios no nos quisiera, porque no nos concede nuestros deseos. De hecho, algunas personas están convencidas por experiencia propia de que Dios es totalmente indiferente a sus problemas porque estos se mantienen activos sin importar cuanto recen o le pidan para que desaparezcan.

El reconocimiento espiritual de Dios nos revela que El no actúa a través de las necesidades. El sólo actúa cuando la persona está consciente de su Presencia. Joel Goldsmith dijo, "Lo que Dios puede hacer, lo esta haciendo." Me encanta esta declaración porque resalta la consistencia de lo que Dios es y la forma maravillosa como se dan las cosas en el universo.

Lo que Dios puede hacer, Dios siempre lo esta haciendo. Si Dios pudiera satisfacer tan solo una necesidad, todas las necesidades ya estarían satisfechas. Entonces seríamos como niños malcriados en lugar de seres espirituales que debemos volvernos conscientes de nuestra naturaleza divina para dejar que la acción de Dios actúe sobre nosotros.

Nuestro Sabio Creador diseñó un universo en el que el estar consciente de la Fuente es más importante que el satisfacer una necesidad.

Hoy, en lugar de plantearle tus necesidades a Dios, concentra toda tu atención en El e invítale a que sea parte de tu vida en todo momento, y se consciente que antetodo eres un ser espiritual.

Día cuatro
Dios es la fuente

Este es uno de los principios fundamentales que ha planteado este libro: Dios es la fuente. Decimos que lo creemos, pero entonces no nos explicamos cómo hay gente que se muere de hambre. Pensamos que si existe una Fuente, esta debería de resolver todos los problemas.

Pero esta no es la forma como Dios actúa, puesto que lo que la Fuente puede hacer, ya lo está haciendo.

Dios siendo la Fuente debería resolverle los problemas a todas las personas, sólo que hay una condición para que eso se de, que las personas mismas lo permitan, y esto se logra a través de un estado de consciencia y de comprensión.

De la misma manera que una receta para una deliciosa torta no puede satisfacer mi hambre, tampoco la Fuente puede satisfacer mis necesidades, sin antes no haberla procesado. La receta no es la torta, es lo que hace la torta posible. En otras palabras, es la sustancia de la torta, lo que hace que se de la torta. Dios, como fuente, es la sustancia, eso que hace que toda necesidad sea resuelta.

Hoy démosle gracias a Dios que es la Fuente. No le vamos a exigir ni a pedir nada. Simplemente, reconocemos que existe y le damos gracias.

Día cinco
Ser conscientes de Dios como provisión

Este es el segundo principio que plantea este libro. Es difícil para nosotros aceptar que algo tan invisible como ser conscientes de Dios sea la provisión, pero así es. Este es el gran descubrimiento que hace posible la prosperidad verdadera. Entender esto nos hace responsables. A la humanidad le gustaría que todos los problemas fueran resueltos por Dios sin que ella tuviera que intervenir. Los padres tratan de enseñarle a los hijos a ser responsables, de manera que un día puedan ellos depender de sí mismos.

Aceptar que se debe ser consciente de Dios es mi responsabilidad. Es el primer paso no sólo para tener mis problemas resueltos sino para descubrir quien soy yo. Puedo tener cuanto necesito en la tierra, pero lo más importante es desarrollar una relación con Dios.

Hoy es otro día de acción de gracias. Nos regocijamos al conocer una de las claves fundamentales de cómo funciona el universo y de cómo ha sido diseñado el Cosmos. Ser conscientes de Dios es provisión.

Día séis
La provisión divina esta disponible para mí

En la tierra no todos tienen acceso a una provisión de dinero, líneas de crédito, metales preciosos, tierra, etc., sin embargo todos pueden prosperar cuando son conscientes de la presencia divina. Es la condición para que el amor de Dios se exprese. Nos confirma que El nos ama y nos tiene en cuenta.

Aún cuando me encuentre en un estado de desesperación, en bancarrota, o perdido en medio del mar sin ninguna posibilidad de salvación, puedo hacerme consciente de la Fuente. Cuando lo logre, tendré resueltos mis problemas.

Cual es el primer beneficio que recibe cuando se hace consciente de la Presencia de Dios?

Cuál es el segundo beneficio?

Si no está seguro de la respuesta, la encuentra en la página 169.

Día siete
Ser conscientes de Dios es mi pan diario. No tengo necesidad de almacenarlo

Es el temor y la consciencia de insuficiencia la que nos lleva a almacenar cosas para un futuro. En términos mundanos, se acepta planear para sobrevivir en la tercera edad, o ahorrar dinero para cubrir una necesidad que se pueda presentar más adelante. No podemos sin embargo creer que la seguridad y la abundancia se puede almacenar para disponer de ella en un futuro.

Dios debe venir a mí, fresco y nuevo todos los días. El maná de ayer no puede alimentarme ni darme seguridad en el día de hoy. Mi relación con el Espíritu debe ser reconocida día a día, cada vez más profunda.

Hay que ser agradecido con la Fuente cada día. Esto te lleva a buscar y a conocer a Dios cada día, en vez de esperar que El resuelva tus problemas.

Estas dispuesto a colocar a un lado el maná de ayer y disfrutar del pan de cada día que resulta de una relación profunda con Dios?

Respuestas a las preguntas de la página anterior:

El primer beneficio es un sentimiento de bienestar y seguridad.

El segundo es obtener la solución a nuestras necesidades materiales.

Día ocho

No podemos limitar nuestra consciencia de Dios

El dinero no compra todo. Si deseo un automóvil que cueste $20.000 dólares, pero solo me prestan $15.000 no puedo adquirirlo. Si deseo una comida de $20, pero sólo tengo $5 en mi bolsillo, tendré que conformarme con algo que no cueste más que $5. El dinero tiene sus límites. Pero ser conscientes de Dios no los tiene, y puede proveerme lo que necesito sin que se fije en el precio.

Las condiciones económicas del mundo afectan los mercados de dinero e influyen en las tasas de interés que debo pagar cuando cubro las cuotas del préstamo para mi casa. La consciencia de Dios no es afectada por estas condiciones económicas. Esto explica porque mucha gente prospera aún en medio de las condiciones económicas más adversas.

Comienzo a ver la inteligencia del plan divino y cómo ser conscientes de Dios como provisión es más importante que tener dinero, crédito, tierra, o metales preciosos.

Hoy mantendré mi atención sobre este pensamiento: Las condiciones económicas del mundo no afectan una consciencia de Dios. Cuando soy consciente de Dios, me mantengo al margen de los altibajos de la economía mundial.

Día nueve
Todos pueden ser conscientes de Dios

Las provisiones terrenales tienen sus limitaciones. Algunas personas tienen más que otras. Algunas nacen en medio de mucha riqueza y otras en medio de pobreza absoluta. Algunas regiones del planeta cuentan con grandes recursos naturales mientras que otras carecen de ellas. Mas nada de eso importa para la gente que es consciente de que la provisión es Dios.

Quién no puede despertar su consciencia divi-na?

Dios está siempre con nosotros, esperando a que seamos conscientes de El. Cuando nos damos cuenta de esto, ya no tenemos excusas cuando carecemos de seguridad y bienestar.

En el espacio que sigue, escriba sus razones por las cuales no es tan próspero como le gustaría. Está dispuesto a deshacerse de esas excusas?

Día diez

Las condiciones terrenales no afectan mi provisión

Mi provisión actual es mi consciencia de Dios, y no es afectada por las condiciones terrenales. Cuando era ignorante de estos principios, mi provisión era más tangible.

Escriba algunos ejemplos de lo que usted creía que era su provisión:

_____
_____
_____
_____
_____

Haga una lista de lo que usted creía que afectaba su provisión

_____
_____
_____
_____
_____

La provisión terrenal es afectada por muchas cosas, esa es una realidad. Sin embargo, la verdadera provisión es ajena a todo eso.

El entender esto, cómo ha afecta su vida?

```
_____
_____
_____
_____
_____
```

Día once
Consciencia y adquisición son una misma cosa
oferta igual a demanda

Uno de los retos de vivir una vida espiritual es que la vida diaria me impone muchas cosas. El mundo de las apariencias está siempre frente a mi, y mis cinco sentidos están siempre dándome información de un mundo que creía era real. Esta es la razón por la cual una actitud de oración permanente es tan importante. La oración me pone en contacto con otra dimensión que los místicos dicen que es real. Lo cierto, es que esta dimensión espiritual es la base de todo lo que existe en el mundo material.

Este mundo espiritual interior es más que pensamiento, sentimiento e imaginación. Es donde habita El Espíritu. Parece increíble que basta con estar consciente de este mundo interior, y actuar en consecuencia, para que mi vida cambie radicalmente y todo a mi alrededor se transforme. Así fue como el Creador quiso que funcionara el universo.

En el mundo terrenal funciona el principio de demanda y oferta. Cuando hay más demanda por un cierto producto, la oferta debe crecer igualmente. Con frecuencia la oferta es controlada de tal manera que el precio del producto aumente. Esto hace que cierta gente aumente sus riquezas.

En el reino de Dios es muy diferente. La oferta siempre está disponible y nada la puede retener. La oferta es igual a la demanda. Consciencia y adquisición son una misma cosa.

El ser conscientes de algo es experimentarlo. Este principio se da de distintas maneras.

Recuerdo un jardín que mi esposa y yo admirábamos cada vez que salíamos a caminar alrededor de la casa donde vivíamos. Nosotros no teníamos que preocuparnos por cuidarlo, pero lo disfrutábamos tanto como los dueños que le prestaban atención diaria. Vivíamos en una casa prestada y no teníamos que pagar arriendo, pero la considerábamos nuestra porque éramos nosotros quienes la habitábamos.

Hay algo en su vida que no le pertenece pero que usted disfruta al estar consciente de ella?
Si es así descríbala en el siguiente espacio.

_____

_____

_____

_____

_____

Recordemos que estar conscientes y tener las cosas es una misma cosa. Igual sucede con Dios. Así que trate de ser más consciente de la presencia de Dios, que estar pensando en los problemas que quisiera que El le resolviera.

Día doce
Dentro de mí existen barreras que obstaculizan mi relación con Dios

Está claro, Dios no me retiene nada que sea para mí. El Espíritu no se esconde de mí. Lo que necesito está frente a mí, pero no estoy consciente de ello. Tampoco estoy consciente de que lo que deseo está dentro de mí.

En lo más sagrado de lo sagrado en el Templo de Israel era donde se suponía que Dios residía. Había un velo que colgaba desde el techo y que cubría ese lugar. Una persona podía mirar hacia allí, pero no veía nada claramente. El velo representaba simbólicamente el sentido de separación entre Dios y la humanidad. Este fue el velo que desapareció cuando Cristo murió en la cruz. "...y he aquí, el velo del templo se rasgó en dos, de arriba abajo..." (Mateo 27:51).

Ese velo o barrera puede tomar muchas formas. Por ahora no me voy a fijar qué clase de velo es el que he levantado entre Dios y yo. Lo importante es reconocer que está allí.

Escriba una frase reconociendo que hay barreras entre usted y su consciencia de Dios.

Día trece

Hoy dejaré de juzgar por las apariencias

Esta frase es más una declaración de que estamos al inicio del camino, más que hayamos llegado al final. Puede ser que hoy trate de no juzgar por las apariencias, pero por cuánto tiempo voy a mantener esta actitud? Cuando me de cuenta de que la he olvidado, comenzaré de nuevo.

Hoy es un día en el que muchas cosas estarán exigiéndome que les preste atención, que les de el poder que desean. Muchas de ellas harán lo posible por evitar que yo me concentre en mi interior para encontrar la respuesta verdadera, esperando que yo las acepte y crea que ellas son mi fuente de sabiduría.

Durante el curso de este día, manténgase en alerta y trate de definir las cosas o circunstancias que tienden a hacerle juzgar por las apariencias. Haga una lista de ellas, y manténgase atento para detectarlas. De esta manera sabrá cuáles son las barreras que quieren interponerse entre usted y su consciencia de Dios.

Día catorce
Hoy dejo de pensar en insuficiencias

Hoy, como ayer, es un día de atención. Es maravilloso cuando mi mente esta llena de abundancia, fe y seguridad, pero aprendo más acerca de mi naturaleza humana cuando me hago consciente de los patrones de pensamientos de insuficiencia y pérdida que habitan dentro de mi.

Comenzaré este día pensando positivamente, pero no me preocuparé si mis pensamientos se tornan hacia lo que no tengo. Aprenderé prestándole atención a estos pensamientos.

Este es un camino positivo. Los pensamientos de abundancia deben pasar a través de un valle de negatividad, carencia e insuficiencia. Si pasa por ahí deténgase y determine el origen y la razón de estos pensamientos. Haga una lista de ellos en el siguiente cuadro, e indique qué condiciones o situaciones de su vida hace que existan en su mente.

Día quince
Hoy estoy dispuesto a perdonar

Esta es una de las tareas más importantes que debo realizar. El perdonarme a mí mismo y a otros me preparan para experimentar el amor que Dios es. Esto me hace prosperar inmensamente.

No es necesario que hoy perdone, sino que esté deseoso de perdonar. El deseo y la voluntad de hacerlo es el comienzo de la transformación que busco para mí vida.

Haga una lista de todos esos individuos que usted debe perdonar. No olvide incluirse a sí mismo. Agréguele a cada uno de los nombres una frase que diga algo así: "quiero perdonarte por lo que me has hecho. "

Día dieciséis
Aferrarse a las cosas obstaculiza la prosperidad

La idea de poseer cosas es muy normal. Es parte de la mentalidad de todos los seres humanos. Poseemos muchas cosas. Comienza cuando somos niños y nos dan juguetes. Creemos que son nuestros. Y los que poseen poco o nada, quieren lo que otras personas tienen.

Pero las posesiones me atan a la tierra. Solo los humanos poseen cosas. Un ser espiritual no posee nada. Como parte de mi naturaleza espiritual tengo todo lo que necesito. Las cosas del mundo son una carga. En mi corazón yo sé que esto es verdad, pero también se que debe haber un balance.

El sistema económico de la sociedad está basado en la idea de la posesión. Hay escrituras que lo confirman. Algunas ordenes religiosas exigen que sus miembros renuncien a todas las posesiones, pero la comunidad posee tierras, edificios y muchas otras cosas que considera necesarias para desarrollar su misión.

Como ciudadano del mundo, el balance consiste no en renunciar a todo lo que poseo, sino en recordar que como ser espiritual me identifico no con mis cosas sino con Dios. Puedo ser el dueño de la casa más no sentir que la poseo o que ella me posee. La clave está en saber quién soy.

En el recuadro siguiente, escriba como le gustaría sentirse libre de posesiones.

Día diecisiete
La pobreza consiste en creer que las cosas terrenales me dan seguridad y me hacen rico.

Desde el punto de vista humano se me considera pobre si tengo poco dinero y posesiones. El punto de vista místico es que yo soy pobre cuando carezco de una consciencia de Dios, y que la pobreza se me acentúa cuando creo que son las cosas materiales las que me hacen rico.

Los que experimentan una relación cercana con Dios saben que ésta es una riqueza que nadie la puede robar ni se acaba con la muerte. Por mucho tiempo fui pobre, no porque tenía poco, sino porque no quería lo que me hacía verdaderamente rico, una relación con El Espíritu.

Ahora estoy preparado para recibir las riquezas de la Presencia Divina.

Durante el día de hoy repita la siguiente frase y piense en ella:
"Dios, amigo mío. Sin ti soy pobre no importa cuantas posesiones tenga. Contigo soy rico, no importa lo poco que tenga.

Día Dieciocho
Merezco el reino de los cielos

Al decir esta frase debo de experimentar un sentimiento de humildad y a la vez me debe parecer difícil de creer. Tengamos en cuenta no ir a caer en la tentación de pensar que nos merecemos el reino de Dios por lo que hemos hecho en el pasado. Nos merecemos esa relación no por lo que hemos hecho, sino por lo que Dios esta haciendo.

Es arrogante de nosotros pensar que nos merecemos el reino por ser seres humanos. El reino se le da a quienes son conscientes de la Presencia de Dios. No es cuestión de pedirlo, solicitarlo, exigirlo, sino de entregarnos nosotros a El.

Amados lectores: Ustedes se merecen el reino de Dios porque viven en un universo que El creó y del cual ustedes son parte integral. Es a través de ustedes que El quiere expresarse, pero sólo lo puede hacer si se lo permiten siendo conscientes de su Presencia.

Si estas ideas le parecen extrañas, pase el día de hoy pensando en ellas, y responda a la siguiente pregunta: Dónde estaba yo, qué estaba haciendo yo cuando Dios me ofreció su reino? Es verdad que sólo los humildes se merecen tu reino?

Día diecinueve

Recibo acorde con mi capacidad para recibir

Yo me merezco muchas cosas, y muchas otras me han sido ofrecidas. Pero cuando tengo mis manos llenas ya no puedo recibir más. Hoy voy a imaginar que un profeta me ha pedido que vaya a donde mis vecinos y recoja todos los recipientes que me quieran dar. Pronto el profeta los comenzará a llenar con tesoros maravillosos.

En la historia de Elías, (2 Reyes 4:1-7) el aceite dejó de fluir dentro de los recipientes que había. La viuda ya no tenía más espacio para recibirlo. Si en los 18 días que lleva trabajando esta parte del libro, se ha hecho consciente de que no es el aceite o las cosas terrenales lo que cuentan, ya está más cerca de entender donde reside la verdadera riqueza.

Haga una lista de los contenedores que le puede traer al profeta no para que sean llenados con aceite, sino como un símbolo de experimentar la Presencia de Dios en su vida. Por ejemplo, uno de los contenedores puede ser humildad, otra oración. Por lo menos mencione doce distintos.

1. _____

2. _____

3. _____

4. _____

5. _____

6. _____

7. _____

8. _____

9. _____

10. _____

11. _____

12. _____

Día veinte
Cuando soy consciente de Dios, dejo de pedirle cosas

La Biblia dice muchas veces que yo debo pedir. Pensaba que se refería a pedir cosas materiales que necesitaba. Ahora entiendo que se refiere a pedir a Dios.

Los niños conocen el poder de pedir, ya que cuando reciben lo que quieren, dejan de pedir. Piden una galleta, y mientras se la están comiendo dejan de pedir más.

Los humanos están pidiendo a todas horas. Parece que estamos conscientes del principio: "Pedid y se os dará" (Mateo 7:7). Comportémonos como los niños, y tan pronto recibamos, dejemos de pedir.

Fíjese en esta señal en su vida. Cuando usted es uno con Dios, usted no pedirá nada. ¿Cómo es posible? Porque tiene todo lo que desea tener: Dios. Cuando tenga necesidad de pedir, quiere decir que aún no ha entendido los principios planteados en este libro, en ser conscientes con la Presencia de Dios.

Día veintiuno
Quien es rico no tiene necesidades

Cuántos no hemos deseado ser verdaderamente ricos. Qué maravilloso sería. Sería una gran bendición. Sin embargo ser verdaderamente rico no significa tener grandes sumas de dinero; significa ser libre de las necesidades del mundo.

Quien es verdaderamente rico tiene pocas cosas, apenas las que necesita para vivir confortablemente día a día, pero tiene algo muy especial, es consciente de Dios. Esto es todo lo que necesita para sentirse feliz. Entonces las necesidades cesan, y una satisfacción muy especial invade su alma.

Lee los párrafos anteriores varias veces en la mañana, en la tarde, y en la noche. Analiza el significado, trata de entenderlo plenamente y deja que la satisfacción invada tu alma.

Día veintidós
Mi estado natural es de plenitud

Para muchos de nosotros y por mucho tiempo en adelante, nuestras vidas se desenvolverán entre periodos de necesidad y de plenitud. Este último es el que nos corresponde, y el que debemos de buscar permanentemente. Todas las necesidades que tengamos mientras estemos vivos en la tierra serán satisfechas sin que tenga que convertirlas en el centro de mi atención.

Este es el reto que nos presenta el conocimiento de la consciencia espiritual. De esta emana todas las experiencias que tenemos como seres humanos. A las cosas materiales no tenemos que prestarle atención, porque son cosas que se dan por añadidura cuando nuestra consciencia está puesta en Dios, luego nuestro objetivo debe ser desarrollar esa consciencia.

Delante de nosotros tenemos una vida plena, en la que el estado natural es de plenitud, y esta no la encontramos en las cosas materiales, sino en la relación que tengamos con el Creador.

Día veintitrés

Solamente los ricos entran al reino de los cielos

Yo había pensado que sólo los pobres podían entrar al reino de Dios, y me preguntaba si los ricos, que siempre están pensando en sus riquezas, tendrían alguna posibilidad. Ahora no tengo duda de que son los ricos los que entran al reino, pero los verdaderos ricos, los que están conscientes de la Presencia de Dios. Cuando logro este estado, estoy en el reino de los cielos.

Decídase hoy a ser rico. Pero tengamos claro que esto no es algo que se pueda forzar, sino que hay que disponernos para ello. En cada instante, en todo sitio, debemos estar conscientes de la Presencia de Dios. Entonces lo iremos logrando.

Haga un pacto consigo mismo, de que durante los próximos cuarenta días, tratará de entrar al reino, mediante la oración, consistente ésta en guardar silencio y estar consciente de la Presencia de Dios en su vida y en todo lo que lo rodea. Que las palabras que broten de su boca, y que los pensamientos que aparezcan en su mente sean expresiones de ese deseo consciente de ser uno con Dios.

Estas oraciones siempre son respondidas.

Día veinticuatro
Las riquezas se definen según lo que haga con lo que tengo

Se pueden considerar ricas a todas esas personas que guardan grandes sumas de dinero en un banco, y no hacen nada con él? Algunas de ellas hasta prefieren vivir en medio de una aparente pobreza cuando podrían vivir en opulencia.

El dinero no tiene valor en sí, somos nosotros quienes se lo damos. De nada sirve tener dinero si no lo utilizamos con creatividad. Por ello, podemos decir que la riqueza se define según lo que se haga con lo que se tiene. El uso del dinero determina si soy rico y cuál es el propósito de mi vida.

Si utilizo el dinero y la inteligencia que tengo solo para satisfacer mis caprichos, quiere decir que soy egoísta y pobre. Si en cambio, lo utilizo para crear un mundo mejor en el que muchas personas puedan beneficiarse, entonces si puedo decir que soy rico.

Estúdiate a ti mismo, el dinero que recibes y que tienes, tu tiempo, tus talentos. Cuánto de todo eso lo utilizas para satisfacer tus caprichos, que puedes llamar tus necesidades, y cuánto para el bien de los demás? En el espacio que sigue, escribe el porcentaje de tu dinero, tiempo, y talentos que utilizas para Dios, a través del servicio que le prestas a los demás.

_____% de tiempo   _____% de dinero

_____% de talentos

Analizando los porcentajes anteriores puedes saber qué tan rico eres.

Día veinticinco
No me debo interesar por la manifestación

Cuando estoy pendiente del mundo material, la manifestación es lo que más me interesa. A todas horas estoy consciente de los resultados, del dinero, de la comida, de la casa, del tiempo para divertirme.

Tan pronto como mi vida espiritual comienza a darse, la manifestación material es lo que menos me debe interesar. Me niego a prestarle atención a las cosas materiales en favor de las cosas espirituales. Conscientemente pongo a prueba el principio que Jesús enseñó. Primero buscaré el reino de los cielos, que toda manifestación material se me dará por añadidura, sin que tenga que estar preocupado por ésta.

Dios es mi principal actividad. Entregarme a Dios es mi prioridad. Si hago esto, el resultado será la satisfacción de mis necesidades terrenales, sin que tenga que estar pensando en ellas.

Como editores de este libro, nos gustaría saber los resultados que obtienen al poner en práctica estos principios. Así que no duden en escribirnos y contarnos.

Escríbanos a la Calle 39 No. 28-20, Bogotá, Colombia. Fax: (57 1) 368 1862. En USA: 7230 N.W. 58th Street, Miami, Florida, 33166. Fax: (305) 436 1159. Email: prosperar@cable.net.co

Día veintiséis
No puedo servir a Dios y a las riquezas

Consideremos lo siguiente: Somos seres espirituales que vivimos en un mundo material que exige nuestra atención. Constantemente nuestros cinco sentidos nos están bombardeando con información sobre este mundo. Debido a ello, nos parece que lo único real y verdadero es ese mundo. Quisiéramos que ese mundo se conformara como deseamos, pero lo más común es que sigamos sus dictados.

Lo cierto es que no podemos servir a Dios y al mundo material al mismo tiempo. No hay opción. En ninguna parte encontramos un principio que diga que nuestra relación con Dios se fortalecerá si concentramos nuestra atención en el mundo material, el mundo de las riquezas.

Lo que sí está escrito es que sí concentro mi atención en Dios, tendré todas las cosas, inclusive las del mundo material. Esto no quiere decir que acudo a Dios sólo para tener cosas materiales, sino porque encuentro en Él la razón de mi existencia.

Hoy debo escoger entre servir a Dios o el mundo de las riquezas materiales. En el espacio que sigue, escriba una frase indicando cuál ha escogido y por qué.

Día veintisiete
La manifestación comienza en el silencio

Vivimos en un mundo material pero queremos tener una vida espiritual. Hasta los místicos tienen que pagar sus cuentas. Y las pagan, estando conscientes de que las cosas comienzan a darse primero en el Silencio. Guardar Silencio es el primer paso para experimentar la Presencia de Dios. Por Silencio queremos decir ese instante en el que nos sustraemos del mundo que nos rodea, en el que concentramos nuestra atención en nuestra mente y dejamos a un lado los pensamientos, los sentimientos, la imaginación. Puede que solo logremos estar así una fracción de segundo, pero es un estado de consciencia, y se manifestará como mi experiencia.

Una vez que hayamos experimentado ese instante de Silencio, puede que aparezca en nuestra mente un pensamiento, un sentimiento, o una imagen. En consecuencia, podremos experimentar que nuestro cuerpo ha sufrido un cambio, tal vez se ha curado de una enfermedad; o nos han llegado ideas que de ponerlas en práctica nuestra vida cambiará sustancialmente. O nos volvemos más sensitivos al mundo que nos rodea y podremos ver oportunidades que estaban, ahí, frente a nosotros y que nunca habíamos reconocido.

Imaginemos sólo un momento en el Silencio, solo un breve encuentro con el Espíritu divino, y nuestra vida cambia para siempre. Todo a nuestro alrededor se transforma, las relaciones personales se componen, nos surgen ideas productivas, descubrimos nuevos talentos que hay dentro de nosotros, la paz y la felicidad nos inunda, la fortaleza para sobrellevar momentos difíciles aparece.

Hoy vamos a reflexionar sobre lo que acabamos de leer, que es la manera como Dios actúa. Primero, nos hacemos conscientes, a través del Silencio, de la Presencia de Dios en nuestra vidas, en el universo entero.

Luego el mundo en que vivimos no sólo se llena de oportunidades para disfrutar de "todas esas cosas que serán añadidas", sino que disfrutamos la plenitud de ser uno con Dios.

Día veintiocho

La gratitud me prepara para el reino de los cielos

Hemos dicho, que una manera de prepararnos para entrar al reino de Dios es dando de nuestro tiempo, de nuestros talentos, de nuestros recursos económicos. Hoy, nos preparamos igualmente siendo agradecidos.

El agradecimiento llena nuestro espíritu con un sentimiento de lo que es, en vez de estar conscientes de lo que no tenemos. El agradecimiento nos hace conscientes de que en el reino de Dios y en nuestra vida lo normal es la plenitud.

Hoy voy a estar consciente de todas las bendiciones que estoy disfrutando, divididas en tres grupos: gente, cosas materiales, y cosas espirituales:

Nombre cuatro personas:
1. _____
2. _____
3. _____
4. _____

Nombre siete cosas materiales:
1. _____
2. _____
3. _____
4. _____
5. _____
6. _____
7. _____

Nombre doce cosas espirituales:
1. _____
2. _____
3. _____
4. _____
5. _____
6. _____
7. _____
8. _____
9. _____
10. _____
11. _____
12. _____

Día veintinueve
Hoy bendigo mis deudas y su pago

Hoy es un simple día de acción de gracias. Cada vez que vaya a pagar una cuenta, que tenga dinero en sus manos, que reciba algo, mentalmente va a darle gracias a Dios. Es una práctica que iniciamos hoy pero que continuaremos todos los días de nuestra vida. El dinero es apenas un símbolo terrenal de la provisión infinita que es ser conscientes de la Presencia de Dios.

Coloque las cuentas, las deudas que tiene que pagar hoy, junto con el dinero (en efectivo o en cheque, o títulos valor) con el que las va a pagar, frente a usted. En el recuadro que sigue, escriba una simple frase que exprese su actitud de agradecimiento. Ahora tome las cuentas y el dinero entre sus manos, y lea en voz alta la frase que acaba de escribir. Haga esto todas las veces que vaya a pagar sus cuentas, o que tenga dinero en sus manos, hasta que se vuelva algo natural en usted.

Día treinta

Hoy estoy consciente de mis bendiciones

Hoy es otro simple día de acción. El agradecimiento es una de las puertas para estar consciente de la Presencia de Dios. Cada vez que estoy consciente de Dios estoy agradecido. Cómo no estarlo cuando soy uno con El?

Hay muchas maneras de estar agradecido, y hoy voy a practicar una de ellas. Voy a dar gracias por todas las bendiciones que recibo. Es volver a repetir lo que dijimos en el día veinte y ocho. Lo hacemos para recordarnos de la importancia de ser agradecidos.

Hoy estaré consciente de dar gracias por todas las bendiciones que recibo, pero esto tiene que ser una práctica constante en mi vida, ya sea que tenga algo que agradecer, o nada. De todas maneras, tengo que estar agradecido de iniciar una relación con Dios.

En el recuadro que sigue, esta noche, escribiré todas las cosas que me sucedieron en el día, y por las cuales debo estar agradecido.

Día treinta y uno
La prosperidad se demuestra dando

Mucha gente cree que la evidencia de la prosperidad está en recibir. Eso no es y nunca ha sido verdad. La prosperidad se demuestra dando.

Sentimos mucha alegría cuando alguien nos regala algo, pero sentimos una alegría mayor cuando somos nosotros los que damos el regalo. Hoy vamos a buscar oportunidades para demostrar esto. La práctica nos dirá si estamos en lo cierto o no.

Hoy le daremos un regalo a alguien sin dejarle saber quien se lo da. En el espacio que sigue, escribiremos el nombre de la persona escogida, y el regalo que le daremos. Describiremos cómo nos sentimos al hacerlo.

Día treinta y dos
Dar no es perder

Es obvio que cuando doy algo, ya no lo tengo más. Parecería que hubiera perdido algo, pero no es así. Lo que he hecho es sembrar una semilla.

Dios ha creado un universo en el que el acto de dar no es una pérdida, sino una invitación a ser más conscientes de la plenitud divina. Esta es la mejor retribución cada vez que damos.

Para sentir la consciencia plena de Dios lo mejor que podemos hacer es dar. Esta consciencia es la provisión que necesitamos. Puede ser que se nos presente como un sentimiento de bienestar y satisfacción, o como una idea para algo nuevo que debemos emprender, o como confianza en el futuro. La forma como se manifiesta es infinita.

Día treinta y tres
Dar es una cuestion de comprensión y valores espirituales

Demostrar la prosperidad es fácil para aquellos que saben cual es su fuente. El entender esto presupone conocer ciertas condiciones como no tener temor del mañana ni estar preocupados por lo que el futuro nos traerá. Es saber que el dar no es perder. Así como necesitamos tomar aire para mantenernos vivos, asimismo debemos entregarlo; entre más bella la flor, más exquisita la fragancia que emite. El dar no depende de cuánto tenemos en el banco, sino de cómo entendemos este principio.

Dar para ayudar a expandir el conocimiento de los principios que este libro plantea, hace que muchas otras personas entren al reino. Con esto demostramos que estamos por encima de nuestras necesidades materiales inmediatas, y que despertar nuestra consciencia es mucho más importante que una noche de entretenimiento. No hay nada malo con pasarla bien, con divertirnos, siempre que no descuidemos el compartir lo que tenemos con otros para que tengamos una mayor consciencia de Dios, y este conocimiento se expanda.

Hoy no vamos a tener ninguna tarea específica, excepto reconsiderar lo que hemos dicho sobre la acción de dar.

Día treinta y cuatro
Dar me permite estar consciente de la presencia de Dios

La acción de dar es una paradoja porque aparentemente no produce beneficios. De hecho, cuando me guío por las apariencias, cada vez que doy siento que tengo menos que antes. Lo maravilloso es entender que el Creador diseñó el universo de manera que dar es una bendición.

Cuando damos, el potencial de bendiciones que podemos recibir son infinitas, sin embargo estas no deben ser nuestra motivación. El recibir tiene su origen en nosotros mismos, pues es el efecto de ser conscientes de la Presencia de Dios. El primer beneficio es esta consciencia que luego se manifiesta en nuestras vidas de maneras impredecibles, no sólo para nosotros sino para todos los demás.

Tratemos de recordar alguna vez en nuestras vidas en que se nos manifestaron bendiciones cuando menos lo esperábamos, y para otras personas también.

Esta es una demostración de los efectos del dar, de estar conscientes de la Presencia de Dios en nuestras vidas.

Día treinta y cinco
Doy porque esa es mi naturaleza

Cuando no se tiene consciencia de dar, el proceso para lograrla puede seguir los siguientes pasos: Primero, no damos. Segundo, damos porque nos sentimos culpables. Tercero, damos porque sentimos que es nuestra obligación. Cuarto, damos para recibir. Quinto, damos porque estamos conscientes de que está en nuestra naturaleza el dar.

Alguna vez en la vida sentimos que debíamos dar, pero por algunas razones no lo hicimos? Puede haber sido que el deseo de dar estaba inspirado por la Presencia de Dios, haciéndonos sentir que podíamos expresar en ese momento nuestra naturaleza divina. La próxima vez que se nos presente una nueva oportunidad, analicémosla y decidamos las razones por las cuales lo hacemos o no.

Hoy nos detendremos a pensar sobre lo que acabamos de decir, en la mañana, al medio día y por la noche. Al prestarle atención nos estamos haciendo conscientes de que nuestra naturaleza es dar, y la próxima vez que lo hagamos, volvamos sobre está página y escribamos la experiencia.

Día treinta y séis
Hoy busco oportunidades para dar

Hoy estaremos pendiente de las oportunidades que se nos presentan para dar. No serán solamente oportunidades de dar dinero a los que nos nutren espiritualmente, o a quienes lo necesitan para resolver un problema grave que tienen. También estaremos dispuestos a dar de nuestro tiempo, a compartir experiencias que han transformado nuestras vidas, a dar ideas que pueden hacer que otros ganen dinero o cambien sus vidas, o simplemente a compartir lo que tengamos sobre nuestra mesa a la hora de comer.

Describa en el espacio que sigue las distintas oportunidades que se le han presentado para dar, durante los cuarenta días de este ejercicio.

Día treinta y siete
Las ideas son un puente entre el reino de Dios y mi vida diaria

Algunas veces nos parece que el reino de Dios, el estar conscientes de El, está muy lejos. Cómo puede algo tan abstracto y absoluto afectar mi vida? Desde niños hemos escuchado que rezar no produce ningún resultado. Nos han dicho que lo que cuenta para el éxito es trabajar duro, estar siempre activos. Nadie nos ha dicho que lo que más se requiere es permanecer quietos, en silencio.

Hoy estamos diciendo que entre las acciones más efectivas está el rezar, porque eventualmente nos hace conscientes de la Presencia de Dios. Esta consciencia se manifiesta de muchas maneras que afectan nuestra vida diaria. Lo primero es que al estar conscientes de Dios, nos surgen ideas.

Las ideas son el puente entre el reino de Dios y nuestra vida diaria. Las ideas son como el aire que respiramos, y que no podemos coger con nuestras manos.

Parece que no tuvieran substancia. Pero son las ideas lo más importante, porque según ellas, así son nuestras vidas. Si queremos cambiar hacia la riqueza, lo primero que necesitamos es contemplar ideas de riqueza en nuestra mente, y sentirlas como propias y reales, y luego actuar en concordancia.

Hoy no tenemos necesidad de buscar ideas. Es suficiente que aceptemos el concepto de que las ideas son el puente entre el reino de Dios y el mundo material en que vivimos. Cuando nos llega una nueva idea, ya tenemos una evidencia de que hemos hecho contacto con el reino de Dios, y que este comienza a manifestarse en nuestra vida.

Día treinta y ocho
Hoy le prestare atención a las ideas que me ha de traer prosperidad

Hoy, rezaré y estaré alerta a las ideas que surjan en mi mente. Algunas veces cuando esté rezando o meditando aparecerá una idea. Otras veces llegará cuando menos se esperaba. Lo importante es estar alerta y reconocerla cuando aparezca. Luego hay que actuar sobre ella. Al comienzo su realización no será evidente. Permanecerá escondida, como la semilla entre la tierra. Cultivándola, actuando decididamente, persistiendo, se manifestará haciéndose realidad.

Hoy nos concentraremos orando y meditando. A continuación escribiremos cualquier idea que nos aparezca en la mente.

Día treinta y nueve
Dios esta primero

Si quiero prosperar, si deseo disfrutar de la vida plenamente, lo primero que debo hacer es estar consciente de Dios. Experimentarlo en todas las cosas. Al comienzo de este libro decíamos que una manera de ir entrando en ese estado de conciencia es pagando el diezmo. También cuando damos de nuestro tiempo y talentos.

Es sumamente importante que Dios se convierta en lo más importante de mi vida. Una forma de saber si esto es así, es analizando nuestras vidas, y ver que es lo más importante para nosotros en nuestra actividad diaria.

Las siguientes preguntas nos pueden dar una idea de que tan importante es Dios en nuestras vidas:

¿De nuestros ingresos, pagamos el diezmo?

¿Cuánto tiempo dedico diariamente a rezar y a meditar en silencio?

¿Cuánto tiempo dedico a leer escritos sobre temas espirituales?

¿Cuánto tiempo dedico a ayudar a otros que necesitan de mis servicios, dentro o fuera de mi trabajo?

¿He descubierto cuáles son mis talentos, y los he puesto al servicio de Dios?

Basado en lo anterior, escriba en el espacio siguiente, las decisiones que ha tomado para que Dios sea lo primero en su vida.

Día cuarenta
Hoy comienzo mi vida libre de deudas

Hoy es un día glorioso, pues no solamente se cumplen los cuarenta días de estudio y reflexión, sino que es el comienzo de una vida libre de deudas.

Esto no quiere decir que nunca más voy a deberle dinero a un individuo o a una institución, sino que estoy consciente de que no debo concentrar mi atención sobre las cosas que deseo tener o pensamientos de pobreza y carencia. Por el contrario concentraré toda mi atención en la Presencia de Dios que es mi fuente y provisión.

Regocíjate y da gracias de haber completado estos cuarenta días. Sin embargo, no creas que eso es todo y que el proceso ha terminado. Al contrario, es el comienzo de una nueva vida, al incorporar a tu diario vivir las ideas y las prácticas que has aprendido leyendo este libro. Esa es la siguiente pregunta que debes contestar: ¿Cómo va a ser diferente tu vida, de ahora en adelante, que has entendido lo que es estar consciente de Dios? Escribe la respuesta en el espacio que sigue, y anota en otra hojas cómo tu vida cambia, al practicar la Presencia de Dios a todas horas en tu vida.

Conclusión

Hasta los santos, los místicos, los que viven en la presencia constante de Dios, tienen que pagar las cuentas de la electricidad, del agua, del teléfono, del pan de cada día. Sin embargo eso no les preocupa, ni nos debe preocupar a nosotros. La vida es mucho más que sobrevivir económicamente y podernos dar los lujos que deseamos. Es vivir dentro de ese círculo que nos hace uno con Dios. Cuando estamos conscientes de esto, vivimos en el mundo, pero no somos parte de él.

Experimentar la presencia de Dios es algo que debemos hacer ya mismo. Esta es la única manera de ser uno con El y poder disfrutar de la misión que nos ha sido encomendada en esta tierra. No vinimos a acumular riquezas sino a sentir que somos parte de Dios, y en este proceso nuestras necesidades materiales serán satisfechas sin que tengamos que preocuparnos por ello.

La presencia de Dios se comienza a sentir cuando la gratitud se vuelve parte de nuestra vida. Damos gracias por el sólo hecho de vivir y de lo que se nos revela cada día que nos acerca más a Dios.

Actuando así, nos sentiremos libres de la carga que es poseer cosas. No quiere decir que no podamos ni debamos tenerlas, sino que las disfrutamos mientras podamos contar con ellas, a sabiendas que no son necesarias para nuestra felicidad, pues como seres espirituales que somos, no necesitamos poseer nada. Todas las cosas materiales de que dispongamos, las veremos como la añadidura a que primero fijamos nuestra atención en Dios. Serán la demostración de la maravilla, de la belleza, del misterio, que es este universo en el que vivimos.

Seremos servidores de muchos y nuestras almas se regocijarán con esto, pero también sentiremos la tristeza de ver que tanta gente aún desconoce estas verdades.

Estaremos conscientes de que la pobreza material es un gran problema para muchos en este mundo. Pero lo es también para los que disponen de riqueza. Estamos todos juntos en esto. Puede ser que otros grupos de gente, u otras naciones quieran mantenerse independientes sin tener que compartir con las menos favorecidas, pero tarde o temprano sentirán que es imposible aislarse. Cada día la economía del mundo se hace más dependiente de los unos y de los otros, hasta el punto de que se habla de una economía global. Ninguna muralla podrá aislar a una cultura de otra. La economía mundial está comenzando a demostrar la verdad espiritual de que todos somos uno.

Muchos hemos visto las fotografías de la tierra tomadas por los astronautas que la muestran como un globo luminoso de color azul y blanco suspendida en el espacio sin fronteras ni divisiones. Desde esas distancias no podemos hablar de muchas tierras sino de una sola. De la misma manera la economía mundial nos está obligando a vernos como una sola comunidad.. Hoy los deseos de unos son los deseos de todos. En la antigüedad las tribus intercambiaban productos entre sí para sobrevivir, hoy las tribus son naciones. Poco a poco las naciones dejarán de ser independientes para convertirse en una sola, tal como ya se está dando con el Mercado Europeo, para terminar todas unidas como una sola nación, haciendo eco al principio de que todos somos uno con el Creador.

Los principios que hemos expuesto en este libro son tan válidos para una persona, como para una familia, una empresa, una comunidad, una nación, el mundo entero.

FIN

Cursos prácticos sobre prosperidad

Invitamos a los lectores que deseen profundizar aún más sobre estos principios y asistir a talleres sobre Prosperidad, acercarse al Centro Prosperar en la Avenida 28 con No. 37-71 en Bogotá, Colombia. Pueden pedir información a los teléfonos 368 7793 - 368 7797 - 368 7805 y en la pagina web: www.prosperar.com.

En USA, pueden dirigirse directamente al autor del libro, Jim Rosemergy, PO Box 2113, Lee´s Summit, MO 64063

Liberación y perdón

Todos estamos atados a cadenas invisibles, liberarnos de ellas es un proceso que requiere orientación, lucha, pero ante todo... Amor.

Construyendo mi destino

Proyecte su destino a partir de su presente, con sus talentos y su amor, con prosperidad y felicidad.

Crecimiento personal

El secreto de los líderes que han transformado al mundo, ha sido empezar por su propia transformación, aún en las situaciones más adversas.

Yoga

El método milenario que le permite combatir el estres y la ansiedad, evitar futuras enfermedades, lograr una mejor concentración y un óptimo desarrollo de sus capacidades espirituales, mentales y corporales.

Para volver a ser humano

Un método teórico - práctico que integrará la mente, el cuerpo y el espíritu para canalizar su energía positiva.

Los arquetipos del tarot

Aprenda a interpretar el tarot: un medio legendario de predecir su futuro y de orientarlo en la toma de decisiones.

Feng Shui

El arte ancestral Chino que armoniza el espacio donde
usted vive y trabaja, trayéndole bienestar, felicidad,
prosperidad material y salud entre otras cosas.

Cursos de prosperidad

¡Los más efectivos programas que han ayudado a
miles de personas a triunfar en la vida!.

Otros Libros Editados
por Prosperar

URI GELLER, SUS PODERES MENTALES Y COMO ADQUIRIRLOS
Juego de libro, audiocasete y cuarzo
Autor: Uri Geller

Este libro revela cómo usted puede activar
el potencial desaprovechado del cerebro,
al mejorar la fuerza de la voluntad y
aumentar las actividades telepáticas.
Además, explica cómo usar el cristal
energizado y el audiocasete que vienen
junto con el libro.

Escuche los mensajes positivos de Uri
mientras le explica cómo sacar de la mente
cualquier pensamiento negativo y dejar fluir
la imaginación. El casete también contiene
una serie de ejercicios, especialmente creados por Uri Geller para
ayudarle a superar problemas concretos.

EL PODER DE LOS ANGELES CABALISTICOS
Juego de libro y videocasete
Autor: Monica Buonfiglio

Esta obra es una guía muy completa para
conocer el nombre, la influencia y los
atributos del ángel que custodia a cada
persona desde su nacimiento.

Incluye información sobre el origen de los
ángeles. Los 72 genios de la cábala
hebrea, el genio contrario, invocación de
los espíritus de la naturaleza, oraciones
para pedir la protección de cada jerarquía
angélica y todo lo que deben saber los
interesados en el estudio de la angeología.
Ayuda a los lectores a perfeccionarse espiritualmente y a encontrar
su esencia más pura y luminosa. En su primera edición en Brasil
en 1994, se mantuvo entre la lista de los libros más vendidos
durante varios meses.

ALMAS GEMELAS

Aprendiendo a Identificar el amor de su vida

Autor: Monica Buonfiglio

En el camino en busca de la felicidad personal encontramos muchas dificultades; siempre estamos sujetos a los cambios fortuitos de la vida. En este libro Monica Buonfiglio aborda con maestría el fascinante mundo de las almas gemelas.

¿Dónde encontrar su alma gemela, cómo reconocerla, o qué hacer para volverse digno de realizar ese sueño? En este libro encontrará todas las indicaciones necesarias, explicadas de manera detallada para que las ponga en práctica.

Lea, sueñe, amplíe su mundo, expanda su aura, active sus chakras, evite las relaciones kármicas, entienda su propia alma, para que, nuevamente, la maravillosa unidad de dos almas gemelas se vuelva realidad.

CÓMO MANTENER LA MAGIA DEL MATRIMONIO

Autor: Monica Buonfiglio

En este texto el lector podrá descubrir cómo mantener la magia del matrimonio, aceptando el desafío de convivir con la forma de actuar, de pensar y de vivir de la otra persona.

Se necesita de mucha tolerancia, comprensión y poco juzgamiento.

Para lograr esta maravillosa armonía se debe aprender a disfrutar de la intimidad sin caer en la rutina, a evitar que la relación se enfríe y que por el contrario se fortalezca con el paso de los años.

Los signos zodiacales, los afrodisíacos y las fragancias, entre otros, le ayudarán a lograr su fantasía.

MARÍA, ¿QUIÉN ES ESA MUJER VESTIDA DE SOL?
Autor: Biba Arruda

La autora presenta en este libro las virtudes de la Virgen María. A través de su testimonio de fe, entrega y consagración, el lector comprenderá y practicará las enseñanzas dejadas por Jesucristo.

La obra explica cómo surgió la devoción de los diferentes nombres de María, cuáles han sido los mensajes que Ella ha dado al mundo, cómo orar y descubrir la fuerza de la oración, el poder de los Salmos y el ciclo de purificación; todo ello para ser puesto en práctica y seguir los caminos del corazón.

En esta obra, María baja de los altares para posarse en nuestros corazones. Mujer, símbolo de libertad, coraje, consagración, confianza, comprensión, paciencia y compasión.

PAPI, MAMI, QUE ES DIOS
Autor: Patrice Karst

Papi, Mami, Qué es Dios, es un hermoso libro para dar y recibir, guardar y conservar. Un compañero sabio e ingenioso para la gente de cualquier religión.

Escrito por la norteamericana Patrice Karst, en un momento de inspiración para responderle a su hijo de siete años, la pregunta que tantos padres tienen dificultades en contestar.

En pocas páginas, ella logró simplificar algunos de los materiales religiosos/espirituales que existen, y ponerlos al alcance de los niños, haciéndoles entender que a Dios tal vez no se le pueda conocer por ser un ser infinito, pero sí sentir y estar consciente de su presencia de todas partes.

MANUAL DE PROSPERIDAD
Autor: Si-Bak

Así como se aprende a hablar, a caminar, a comer, cosas muy naturales en nuestro diario vivir, de igual forma hay que aprender a prosperar. Esto es posible para toda la humanidad sin disculpa alguna. Se debe intensificar la fe, la perseverancia, y la práctica de un principio que nos lleve por el camino de la prosperidad. Y eso es lo que enseña el "Manual de Prosperidad", en el que de manera muy sencilla y práctica se colocan en manos del lector las reglas, conceptos y principios que garantizan encaminarse en el estudio práctico de la prosperidad para entrar así en su dinámica.

PARABOLAS PARA EL ALMA"
"Mensajes de Amor y Vida"
Autor: YADIRA POSSO GOMEZ.

En este libro encontrarás mensajes que han sido recopilados a partir de comunicaciones logradas por Regresiones Hipnóticas.

La Doctora Yadira Posso y su hermana Claudia, han sido las elegidas para recibir mensajes de la propia voz de "El Maestro Jesús", a través de proceso de regresión en los que él se manifiesta con su propio tono a través de Claudia, la médium.

Para información adicional y pedidos de cualquiera de los libros
editados por Prosperar:

Calle 39 No. 28-20
Tels: (57-1) 269 8567 - 368 4938 - 368 1861
9800-911654
Santa Fe de Bogotá, D.C. Colombia
www.prosperar.com